講談社選書メチエ

791

仏教の歴史

いかにして世界宗教となったか

ジャン＝ノエル・ロベール
今枝由郎［訳］

MÉTIER

仏教の歴史◉目次

〔凡例〕

1　本書は Jean-Noël Robert, *Petite histoire du bouddhisme: Religion, cultures et identités*, Edition J'AI LU, Paris, 2008 の日本語訳である。

2　日本語訳にあたり、読みやすさを考慮して、適宜、小見出しをつけた。また、写真・地図を補った。ただし、原著八三頁の La population bouddhiste dans le monde（世界仏教徒分布図）は、著者の承諾を得て省いた。

3　注は原著にある二つの脚注（5、11）も、訳者による訳注もすべて巻末にまとめた。

4　原著では本文中に括弧内に記してあるものを、注の形にして巻末に移した場合がある。その場合は、〔原著本文中：〕と記した（26、74、78）。

5　本文中に〔　　〕で括ってあるのは、訳者による同定や補遺である。

序言

この数十年来、仏教は欧米、なかんずくフランスを魅了している。フランスにおける仏教徒の数はヨーロッパでもっとも多く、非常に活発な仏教寺院や仏教センターがいくつも存在する。東南アジアから移住してきた仏教徒、改宗して仏教徒になった人たちに加えて、仏教に親近感を持つ人たちが数多くいる。二十世紀から二十一世紀の変わり目に行われたある調査によれば、仏教は若い世代にもっとも肯定的なイメージを持たれている。しかしフランス人は本当に仏教を理解しているのだろうか。フランス人の仏教に関する知識は、非常に部分的、依怙贔屓的、さらには歪んだものである。今日アメリカでは多くの大学で仏教講座があるが、フランスにはいくつか例外的な大学にしか仏教講座は設置されていない。その一つがフランス国立高等研究院で、ここではいく人かの教授が仏教の様々な伝統に関するレベルの高い講義を行っている。

ジャン＝ノエル・ロベール氏はこの教授陣の一人で、日本仏教講座の教授である。その研究業績はよく知られており、翻訳は権威があり、フランス学士院碑文・文芸アカデミーの会員に選ばれている。この「宗教小史」シリーズは、もっとも優れた専門家による、広い読者層を対象にした、いくつかの主要宗教のわかりやすい入門書を目指しているが、彼が執筆陣に加わることを快諾してくれたことは格別に喜ばしいことである。

私は、地中海地域で生まれた一神教三姉妹[2]だけに留まらず、東洋を代表するしかるべき宗教の一つをリブリオ叢書で読者に紹介したいと願っていた。本書は一神教三姉妹偏重からの離脱を促すものである。仏教の文化的、文明的文脈は、我々西欧人が慣れ親しんできたものとは異なっている。インドに生まれ、中央アジア、中国、チベット、モンゴル、東南アジア、韓国、日本への広がりを持つ仏教が今や西欧に広まりつつある中で、ロベール氏はこの仏教の伝統の多様性に触れつつも、一神教三姉妹とは異なった一つの宗教としての仏教に我々西欧人の目を開かせてくれる。本書は仏教の様々な形態、その独自性と豊穣性をわかりやすく紹介した歴史地理ガイドブックである。そして最終的には、仏教が人類の精神的普遍性の形成に向けて果たせる貢献の可能性を提示している。

フランス国立高等研究院名誉院長　ジャン・ボベロ[3]

日本語版のための序文

フランス語で書いた仏教についての拙著が、いつか日本語に翻訳されるとは、夢にも思わなかった。この本は、ユダヤ教、イスラム教、キリスト教、仏教という、人類の共有する主要な普遍的宗教を紹介する四冊のシリーズの一冊として書かれたものである。仏教は、フランスにおいて驚くほどの人気を誇りながら、その歴史と教義から見ても、まだ比較的に未知な領域であると言える。そのため、なるべく正確な情報を与えると同時に、説明は一般的な範囲にとどめる必要もあった。本書の出版計画を発案した友人のジャン・ボベロ氏の厚意によってこの課題を任されたとき、私は満足のいく視点を見つけるのにかなり長く躊躇(ちゅうちょ)した。最終的に、私を日本仏教の研究へ導いた道、すなわちフィロロギーの道に沿うことにした。

しかし、それは普通の学問的な意味での「フィロロギー」または「文献学」ではなく、むしろ私なりの特殊な意味で理解する「フィロロギー」である。その意味をわかってもらうためには、私が日本仏教の研究までたどり着いた過程をここで手短に述べる必要がある。

私は高校時代から中国語、日本語、その他いくつかの東洋の言語やアジアのさまざまな宗教に興味があったが、宗教史学に出会うまでは特に仏教を勉強することはなかった。決定的だったのは大学時代に、古代朝鮮宗教の専門家であり、当時韓国語の教官だった李玉先生に勧められて、ミルチャ・エリアーデ（一九〇七年～一九八六年）の『宗教学概論』を読んだことであった。現在ではミルチャ・エリアーデは忘れ去られたか、厳しく批判されているが、彼の示唆に富んだ研究——ことにインドに関するそれ——が、当時の多くの若者を宗教史学に導いたのは確かである。

けれども、私が宗教史学を志したその当時からすると、この学問分野の権威は大きく失墜してしまった。関心が持たれなくなった理由はいくつもあるが、ミルチャ・エリアーデ自身が明らかにしている方法論の問題であることは私にとって明白である。研究対象とする諸宗教のさまざまな言語の深い知識がなければまともな研究をするのはほぼ不可能であり、異なった文化圏にまたがる諸宗教を本当に比較研究できるのは、ほぼ超人的な語学力を備えたごく少数の人に限られる。

たしかにヴィルヘルム・シュミット（一八六八年～一九五四年）、ジョルジュ・デュメジル（一八九八年～一九八六年）など多言語に通じた著名な学者の名前を挙げることはできる。しかし言語の天才という正当な評価を得ているデュメジルの場合でも、彼が扱ったのは主にインド・ヨーロッパ語族のいくつかの言語であり、彼の業績で長く残るものは彼自身の基準からして明らかにインド・ヨーロッパ文化の所産である古代ローマの宗教に関する研究であろう。

イスラム教の輝かしい専門家であるドイツ人アンネマリー・シンメル（一九二二年～二〇〇三年）の場合、彼女はアラビア語、トルコ語からウルドゥー語、パンジャブ語に至るまで異なった語族に属する驚くべき数の言語を習得したが、こうした言語を貫く本質的な共通要素があり、それは他でもないイスラム教という単一の文化的基盤であった。

つまり私には、ミルチャ・エリアーデ、ゲラルダス＝ファン＝デル・レーウ（一八九〇年～一九五〇年）などの方法論による比較宗教研究は、知的冒険としては魅力的であっても、結局は実を結ばないものであることがかなり早い段階からわかった。しかしながら、仏教をモンゴル、東トルキスタンから日本、ジャワ島まで、さらにはチベットからベトナムにいたるさまざまな言語、文化の統合要素として捉えることで、一つの限定的な宗教史研究をすることは可能であった。と同時に、仏教に限定したとしても関連する言語の数はとてつもなく多く、それらをすべてを習得するのは不可能であることも事実であった。ともあれこうまれ、私は仏教研究に足を踏み入れた。

私にとって仏教は、あたかも一つの厳密な方法論に従っているような印象をもちながら、普通に考えれば手に負えないほど数多くの言語圏を股に掛けることを可能にする「統合原理」となった。しかし、私は自分の野望にかなり早くに幻滅することになった。それゆえに私は自分の出発点であった基本言語、すなわち中国語と日本語に集中することにした。それでも、研究者が一生かけても扱いきれない分野であることは自明であった。

私がもっとも興味をそそられたのは、言語上の連続性であった。例えば、梵語の「ルーパ」、漢語の「色」、和語の「いろ」という単語の列を顧みると、最後の「いろ」という「やまとことば」は梵語の仏教的意味、漢語の仏教的・非仏教的意味合いを帯びた上に、世紀を経て、「古今和歌集」から井原西鶴の好色物まで、その豊かさを発展させるようになった。そういう数多くの例によって、日本語の深層まで漢語を通じて仏教が潜入しているという事実を意識するようになった。

こういう、仏教を媒介にした、いわば和漢の論理を、私は「フィロロギー」と名付ける。残念ながら、その意味の「フィロロギー」を翻訳するのに、満足できるような和語がない。ただの「文献学」ではなく、むしろ、文字通りの「言葉を愛する」という根本の意味を表す単語、例えば、「愛言学」あるいは「愛語学」というような表現があれば、と思う。いずれにせよ、私が仏教の思想とその伝播の勉強に乗り出したのは、ある愛言語学的な冒険を始める気構えからであった。

拙著を書いたのも同じ考え方によるものであった。拙著の唯一の特徴は、特定の国、時代、文化に重点を置かず、むしろその「フィロロギー」的観点を保とうと努めたことである。フランスではこの小冊子が数万部出版されたにもかかわらず、その特色に気が付いた読者はきわめて少ない。だからこそ、長年の学友、今枝由郎氏がこの作品に興味を示して、日本語に翻訳してくれたこと、そして講談社の編集者梶慎一郎氏がすぐにこの特徴に気づいてくれたことに、私はとても驚いたのである。

学友今枝由郎氏との長年の付き合いにおいて、彼の洗練されたフランス語の知識と、チベット文化についての博識には知り合った時期よりいつも敬服していた。私たちがまだ学生であった頃、彼は仏教の研究に乗り出した最初の目的が、パーリ語から満洲語まで、保存されている仏教の大蔵経をすべて読めるようになることであったと私に打ち明けた。しかし彼もまた、私よりずっと早く、そのような野望のむなしさに気づき、チベット語とチベット仏教にもっぱら身を捧げることにした。

彼は会って早々、自分の勉強の仕方を説明してくれて、チベットの文化を正しく把握するため、チベット人が食べているものを食べ、チベット人の日常生活を送らない限りそれを理解できない、と強調した。そのときの驚きを私は今でも覚えている。たしかに、その訓戒は、私が比叡山の麓にある京都で過ごした数年間、例えば慈鎮大和尚慈円（じちんだいかしょうじえん）が生きた平安末期・鎌倉初期の文化的環境をより深く理解するためにとても役に立った気がする。そういう気持ちになって、慈円を学ぶことは一種の時間旅行に似たものとなり、新鮮な経験になったといえる。

しかし、日本の文化史における仏教の役割がいかに重要であったにしても、それは、惑わされるほどの多様性を示す仏教の世界の一面に過ぎない。インドの阿含経（あごんきょう）、倶舎論（くしゃろん）、中観（ちゅうがん）から漢文文化圏の浄土信仰や本覚（ほんがく）の教義に至るまで、最も多様で、最も相互に対立する教義に富んでいるこの世界は比較宗教学の多くの可能性を秘めた分野として、その詳細な研究は充分に報われるものであると確信する。

その豊富さこそ、我々の知識を超える想像力の可能性をもたらす。例えば、遠い昔のことであるが、私は奈良国立博物館でいわゆるガンダーラの仏教美術の展覧会を観た際、展示されていた、ある菩薩の彫像と、フランスの地方にあるロマネスク教会で出会うキリスト教聖者などの像との驚くべき類似性に強く印象づけられた。あの当時は、のちに爆発的に流行るようになった「歴史改変ＳＦ」はまだまだ知られていなかったが、その酷似している像を観るだけで、想像は自ずと奔放になった。もし紀元前三世紀の阿育王（アショーカ王）の在位中に、仏教の西方への伝来が続いていれば、西洋の文化史はどのように変わっていったのであろうか。

その未知の展開の第一歩を思わせるのは阿育王の勅令によって刻まれたギリシャ語の碑文にある。そこに刻まれた仏教の根本的な教えである「ダルマ」（法）は不思議なことに、ギリシャ語で「エウセベイア（eusebeia）」と翻訳される。梵語の「ダルマ」が物理的、政治的、社会的、道徳的な「秩序」という観念を示す幅広い単語であるのに対して、ギリシャ語の「エウセベイア」は神々に対する信心深さ、敬虔心などを意味する。阿育王のまわりの文人や顧問たちが、なぜこの訳語を選んだかは不明である。ミリンダ王（メナンドロス一世）のように、インドの辺境まで足を踏み入れたギリシャの哲学者たちとの対話の結果なのであろうか。その翻訳は決して誤訳とは言えず、意図的に選ばれた単語であったに違いない。あるいは、インド仏教の根本的観念であった「法」は、ギリシャ宗教のシステムで同じく中心に位置づけられた諸々の神への信仰心に置き換えられたものであったかもしれない。

もしギリシャ語を介して仏教がさらに西へ伝わり、後にできたローマ帝国の首都ローマまで届いていたならば、紀元前一世紀の後半に成立し、ヨーロッパ文明の礎を築いた偉大なラテン叙事詩、ウェルギリウスの『アエネーイス』に必ず反映されていたであろう。詩の主人公、ローマを建国した流浪のトロイア人アエネーアースが、燃え盛るトロイア城から父を救ったことにより、「義務に忠実な」(中山恒夫訳)という意味で、「ピウス(pius)」と形容されているのである。この形容詞の名詞形「ピエタス(pietas)」がまさに、ギリシャ語のエウセベイアのラテン語訳である。

こういう因縁によって、梵語からギリシャ語へ、ギリシャ語からラテン語に置き換えられることによって、仏教のダルマは十九世紀までヨーロッパの一般教育の基礎であった叙事詩を通して、フランスの片田舎の教会にまで広がっていたであろう。換言すれば、梵語のダルマは、ラテン語のピウスに変身していたであろう。残念ながら、仏教の西進は、数行のギリシャ語の碑文で止まってしまった。しかし、歴史改変SFでなく、我々の知っている仏教の現実の歴史には、すでに十分に楽しめる研究分野がある。

拙著が日本語に翻訳されるに値すると判断されたことは、私にとって釈迦に説法するような気がしてならない。友人・今枝氏が、地図や図版、充実した訳注によって、その内的構造を強化してくれたとともに、原著の内容の水準を保ってくれたことに心から感謝している。また、拙著を世界的に名高い講談社選書メチエに迎えて下さった梶氏に深い感謝の意をあらわす。

ラテン語の詩人ガイウス・ウァレリウス・カトゥルス（紀元前八四年頃〜紀元前五四年頃）によれば、それぞれの本にはそれぞれの運命がある。本書が和訳によって新たな運命をたどることは、私にとってまさしく浄土に往生するような気持ちである。

二〇二三年九月

ジャン＝ノエル・ロベール

はじめに

ジャン・ボベロ――ソクラテス式問答法の有能実践者――に捧げる

ヨーロッパ人の目には、仏教は「アラカルト宗教」すなわち一人一人が各自メニューから嫌いなアイテムは避けて、好きなものだけを選ぶことができる宗教の理想的モデルのように映る。そこには神秘主義と屋外の開放感、オカルト主義とポストモダン主義の喜びが入り混じっている。こうした「精神性」は、往々にして個々の宗教を超えたものと見なされるが、それが人気を博するようになった背景には、少林寺[4]のように、つい最近になって効率よく作り直された一つの物語がある。アーサー・C・クラークの小説『幼年期の終り』[5]がそれであり、この中には宇宙人の到来後、人類が伝統的な信仰を持ち続けることが不可能になった地球上で優勢となる新しい宗教がよく描かれている。私にはこの宗教がヨーロッパ人にとっての仏教に思える。それは、ドグマ〔教義〕も厳しい修行もない、インテリ向けの一種の「ライトメニュー禅」である。

火星人はまだ地球に到着していないが、大都市にはすでにこの新しい時代の「道場」をしばしば見かける。目くじらを立てることはないだろう。かつて仏教がインドから中国に伝播したことは、文化的には少なくともこれと同じくらいに度肝を抜くことであった。ヨーロッパの諸言語は、中国語、日本語、チベット語よりもインドの諸言語に近い関係にあり、仏教概念の翻訳はそれ以上に難しくはないはずである。インド生まれの仏教は、一方では中国、日本、チベットへ、もう一方ではヨーロッパへ伝播したが、両者の間の違いは、伝播過程の速度にあるであろう。インドから中国へ、中国から朝鮮に、そして朝鮮から日本には何世紀もかけて伝わったが、ヨーロッパとアメリカに向けては数十年の間に伝わってしまった。ゆっくりとした伝播過程からは必然的に、「目覚めた人〔ブッダ〕」の教えに文化的整合性が生まれた。しかし今では、仏教の伝播形態が一変し、シルクロード〔絹の道〕のキャラヴァンによってではなく、インターネットからのダウンロードによって全てが同時に伝えられることになった。従来の仏教の諸伝統間の相容（あいい）れない形態は、教義を受け取る側の知性・能力の多様性、時代の相違などから生まれたものだが、今ではすべてが同列に一挙に提供され、各人がおのおの自分の教義を作り上げていくことになる。

この小冊子では、まずは仏教の計り知れない多様性は他の宗教に見られるものを遥かに超えていることを紹介し、その中で何か決定的な立場を採ることの難しさを実証したい。仏教はある地域、ある時代、ある宗派の枠の中でしか語ることも、学習することもできないということを読者に理解していただけたら、それだけですでに重要な第一歩が踏み出されたことになる。

第一章　諸宗教の中での仏教

ユダヤ教であれ、キリスト教であれ、イスラム教であれ、唯一神を中心とした「一神教」の宗教伝統の中だけでずっと生活してきた者にとって、仏教は常軌を外れた奇怪なもの、さらには馬鹿げたものにさえ映る。仏教に接した時の当惑は、仏教に対して用いられる言葉に反映されている。

ヨーロッパ起源の用語としての「宗教」「哲学」

多くの欧米人、ことに仏教研究に惹かれた人たちは、仏教を「宗教」と呼ぶことを躊躇（ちゅうちょ）する。彼らはその代わりに「哲学」として扱うことを選ぶ。この言葉が選ばれる最大の理由は、仏教は一神教とは違って、天地および人間をはじめとするそこに住むものたちを創り出した永遠なる一つの「神」を認めないからである。このような存在とその被造物との間には、超えることができない深淵――絶対者と相対者との違い――がある。さらにはこの「神」は「私」という一人称で語る、すなわち人格を持った君主たる神である。この先で説明するが、仏教によればわれわれにとってもっとも根源的で根深い幻想は、「我」という概念である。人間が「私」というものを何か実在するもの――しかも永遠のもの――であると信じて、「私」という一人称で語ることは、人間が陥っている無知の印である。一神教にとっては、「神」の概念を退けることは、冒瀆と見なされないにしても、「神」を〔絶対者としてではなく〕諸々の哲学概念と同列なものとして扱うことになる。「宗教」と「神」との間には密接な関係があり、両者のうち一つを抜きにしては何事も考えることはできず、これが仏教を宗教と定義することが躊躇される理由である。

一神教の土壌に育ち、仏教に向かう人たちはしばしば、この厄介な「人格神」が存在しないことに惹き寄せられる。彼らは仏教が西洋の概念では哲学に近いという点に敏感であり、仏教を自らが捨て去る一神教と同列の宗教と認めることは到底できない。

仏教に対して「宗教」という言葉を用いることに反対するもう一つの論拠がある。ある人たちにとって「宗教」とは、西欧人が慣れ親しんでいるものとは本質的に異なった、非西欧の諸々の現象を無理やり一つのカテゴリーに収容するために造られた用語である。非常に優秀な専門家たちは、「ヒンドゥー教」の名で知られるインドの伝承、修行、教義の総体を、ヨーロッパで知られるものと同じく一つの宗教として論じることは宗教という言葉の誤用であると主張している。ヒンドゥー教以上に異質な体系である仏教の場合はなおさらである。

ここで、背景は異なるにしても、結局のところ仏教に宗教の名を冠することを拒否する人たちに、二つの答えを出しておくことにする。

まずは、何よりもあまりにもヨーロッパとキリスト教を中心とする宗教という名を拒否しながら、いっそうヨーロッパ中心的である哲学という言葉を選ぶのは論理的ではない。実際のところ哲学はギリシャで生まれ、本質的には地中海世界で発達した一つの特殊な思想潮流を指している。哲学の特徴である理性の純粋な訓練は、仏教には無縁の概念である。

次に、特殊な知識と十八世紀と十九世紀の間に発展した「科学的」手順の対象としての宗教という概念は、確実にキリスト教から生まれたものではなく（多くのキリスト教思想家は、この名称を拒否している）、むしろキリスト教に対抗するために造られたものである。この概念は、学術的創造物であると批判することができ、この用語を普通に「宗教」と呼んでいるものすべてに適用するべきではない。ヨーロッパで生まれた用語である「宗教」には、厳密に相応するアラビア語、ヘブライ語はほとんど存在しないし、その語源であるラテン語では、現在この用語が意味するところとはかなりかけ離れた意味で使われている。論議を徹底的に突き詰めると、この用語をキリスト教も含めたいかなる伝承にも適用することができなくなる。では、どうしたらいいだろうか。

普遍的意味での「宗教」

伝統的な仏教国に長く滞在した人、あるいは今も盛況な大寺院とか大僧院を訪れたことがある人

チベット仏教の寺院、ジョカン（大昭寺）。中国、チベット自治区ラサ。平野聡氏撮影

は、仏教は宗教ではないという論議が人為的な性格のものであるとすぐに気付くだろう。京都の鞍馬山の頂上までの道の脇の御堂に灯明を捧げる農家の老婆、自分の体でどれだけ進んだかを測りながら、針灸の鍼（はり）を体に打ち、[6] 手足から血を流しながら五体投地を繰り返してラサのジョカン「大聖堂」〔大昭寺〕に向かう巡礼たち。彼らを目にしてもなおかつ、救済に向かう修行と信仰の総体を指す元来の意味での「宗教」が持つ性格が仏教に具（そな）わっていないと言える人はいないであろう。

それまで見たこともないインドや日本の見世物が劇であり、数人が集まって奏でる変わった音が音楽であるとすぐにわかるように、人間は自分の隣人が行う祈り、巡礼、苦行が、宗教的実践であると本能的にわかる。僧侶は、自分が出会った相手が僧侶であるかどうか、いつもわかる。大旅行家アレクサンドラ・ダヴィッド＝ネールは、たしかに魅力的な個性の持ち主である。その彼女は、仏教の高度な奥義の鍵をギメ東洋美術館の図書館の中に見つけたと主張し、暗愚なチベット人はそれをまったく理解していないと嘲笑し、それを吹聴している。この場合、誰が何を理解したというのだろうか。[7]

仏教――至高神なしの一神教

仏教は、一般に宗教の名で知られているものとは本質的に異なった側面を持っていることを認識する必要がある。

アレクサンドラ・ダヴィッド＝ネール（1868–1969）

そのもっとも顕著なのは、この先述べるように、至高神が存在しないことである。仏教は、古代インドのすべての神々をも包括した八百万（やおよろず）の神を躊躇することなく認めるが、神々の地位は人間以上のものではない。ということは、「神なしの宗教」という逆説なのか、あるいは「無神宗教」なのだろうか。仏教を「無神宗教」とためらわずに断定する人たちもいる。しかしそういう人たちは、仏教の中心人物、すなわちブッダが神々以上の地位を占めていることを忘れている。この先明らかになるように、ブッダは歴史の経過とともに、我々が知っている歴史上の人物であるブッダを凌駕して、一種の普遍的至高存在の顕現（けんげん）となった。いくつかの仏教国では、近代的思想家は仏教は総合的に見て一神教の一つであるとみなしている。しかも、創造者と被造者との距離が消し去られてしまった一神教なのである。その結果、究極的には人間世界を超越しない至高存在を中心とした、〔至高〕神なしの宗教ということになる。ここには、数々の逆説が含まれているのは当然のなりゆきである。

聖典

聖典すなわちお経の問題に関して多くの逆説的なことがある。西欧の宗教に関しては、聖典といえばユダヤ教ではトーラー[8]、キリスト教では聖書、イスラム教ではコーラン〔クルアーン〕と明確である。全体的に見てかなり短いテクストであり、ポケットに入れて世界中どこにでも持ち歩くことができ、かなり以前に決定版が編纂され、改編されることがない。

仏教聖典はどうだろうか。まずはその分量に関して言えば、数十巻、さらには数百巻と膨大である。つぎにその内容に関しては、イスラム教にせよ、ユダヤ教、キリスト教にせよ、世界中でその内容はおおむね一致している（これはテクストそのもののことであって、たとえばカトリックの聖書とプロテスタントの聖書の間の違いはほんのわずかである。しかし、聖典の解釈に関しては、この限りではない）。

それに反して、スリランカの仏教徒と日本の仏教信者とがお互いに基本的テクストとして認識できるのは一つとしてないだろう。仏教には、各々の伝統ごとに基本とされる大蔵経（聖典として認識されるテクストの集成）があるが、その内容はどれ一つとして共通していない。宗派あるいは教派により、あるテクストが他のすべてのテクストを包括し、凌駕しているので、それを習得すれば他は必要ないとされる。時としては、漢字二六〇字の短いテクスト[9]が仏教教義の真髄を内包していると考えられている。中には、お経などはまったく必要がなく、焚いたほうがいいと主張する立派な僧侶もいる。

言語

言語の問題は経典と切り離すことができない。コーランはその原語であるアラビア語でしか学習されないし、ヘブライ語のモーセ五書だけが今日でも書写されるということを知らない人はいないだろう。また今から数十年前までは、カトリックでは聖書はラテン語で読まれていた。言語と宗教は密接に繋がっている。ヒンドゥー教でも、ヴェーダ聖典以来サンスクリット語は神々と人間の完全な言語である。諸々の精神的伝統の中で、仏教は開祖がその教えをある特定の言語に限定してはならないと規定した最初であり、ブッダは各々の民族の言葉で教えを伝承することを推奨した。仏教の伝道者たちが、その教えをインドの内外に伝えた時、彼らの最初の仕事は受け継いだ教えをまずは口頭で、次いで文字で翻訳することであった。しかし人間活動の性格上、あらゆる革新は速やかに伝統となった。誰もが話す言葉は数世紀もすると死語となり、聖語となった。サンスクリット語は最初は仏教徒に軽蔑されたが、そのうちに主要な伝道言語の一つとなった。こうして一つの新たな逆説が生まれた。ブッダの教えはできるだけ多くの人に理解できる様々な言語で伝えられるべきであったのが、時代の経過とともに、固定化された多くの伝統的言語で記されるようになった。

仏教徒間の連帯の欠如

一神教では同一の宗教の信者間には連帯もしくは友愛の感情がまぎれもなく存在する。仏教徒の間でも同じことが言えるだろうか。ベンガルの仏教徒は、母国インドのイスラム教徒あるいはヒンドゥー教徒に対してよりも、日本の仏教徒に親近感を抱くだろうか。仏教徒の間には、すべての仏教徒を代表して語ることができる人、中心的組織が存在しない。[10] ダライ・ラマはその知名度から仏教界の「法王」と見なされるが、それは幻覚にすぎない。彼の精神的権威や政治的威信には否定できないものがあるが、その宗教的権威は自らがその長である宗派の域を越えるものではない。仏教が最も深く浸透した極東の一つの国である日本の例を取ってみよう。仏教には数多くの宗派があり、全仏教界を統一しようとする試みはあるものの、近代社会が直面する大きな道徳的問題に対して、仏教を代表して一つの立場で見解を述べることができないし、その必要性すら感じていないのが現実である。

こうした現状では、仏教を一律に語ることはほとんど不可能である。仏教徒全体の名において物事を語ろうとすることは、知的操作の試みとなってしまうとさえ断言できる。仏教について何かを語るときには、それがどの時代の、どの国の、さらにはどの宗派のことなのかを限定する必要がある。なぜなら、ある事柄は、別の状況では、そうではないと否定できるからである。

それゆえに、仏教は多様性を含んだ宗教であり、ある事柄に関して〔仏教ではこうであると〕決定的に断言することが非常に難しい。仏教は、多様な文化に対する並はずれた適応能力によって、特異な豊かさを呈している。それゆえに、仏教徒ではなくても、仏教研究は魅惑的である。

第二章　ブッダ　仏――第一の宝

仏教徒になることほどたやすいことはない。「三宝（さんぼう）」への「帰依」を表明するだけでよい。

目覚めた人（ブッダ〔仏〕）に帰依します。
教え（ダルマ〔法〕）に帰依します。
仏教教団（サンガ〔僧〕）に帰依します。

仏教国の中での両極端とも言えるタイと日本を比較すると、この「三宝帰依」は前者ではよく唱えられるが、後者ではあまり唱えられない。三宝の解釈には様々あるが、それが信仰の中心であることを否定する仏教徒はまずいない。それゆえに、ここからの三章では、「目覚めた人」の道の根幹であるこの「三宝」の一つ一つを順に取り上げることにする。以下、説明に不可欠なインドの用語はサンスクリット語で記すことにする。[11]

最初の「宝」はブッダである。この言葉は固有名詞ではなく、「目覚めた人」「理解した者」を意味する尊敬語である。これはただ一人の人にだけではなく、計り知れなく長く続く時間の中で、この世界の生きとし生けるものを解放へと導く宇宙の理（ことわり）を本当に理解した無限に続く人たちすべてに当てはまるものである。

パキスタン、ロリアン・タンガイ出土の仏坐像。クシャーナ朝、コルカタ・インド博物館蔵

しかしその起源においては、ブッダという言葉は、宇宙の時代区分の中で現に我々が生きている時代に生きて、我々人間に歩むべき道を示した一人の個人を指したものである。彼が「目覚め」に到った過程は、彼の教えに従う者たち〔仏教徒〕にとって幾世代にもわたって手本となるものである。開祖ブッダの生涯を歴史的に正確にたどることはほとんど不可能なので、ここでは極東で広く伝わっている「目覚め」への八大事績をたどって、その生涯を語ることにする。この八大事績は仏教徒の大半に受け入れられている事柄と、その宇宙観とを融合的に伝えている。これはただ一人の人間の生涯ではなく、仏教徒の誰もが手本とすべきものである。美術館に行けば、この生涯が絵画あるいは彫刻で表現されている作品を鑑賞することができる。この八大事績で表現される「歴史上の」ブッダの正確な年代を確定することは残念ながら不可能である。伝承されている年代の間にはあまりにも大きな隔たりがあり、それらをうまく整合することができない。研究者の間では長い間、生年は紀元前五六〇年頃で、没年は紀元前四八〇年頃という大まかな年代設定がなされてきた。これよりもかなり古い年代を主張する伝承もあるが、それはむしろ受け入れ難く、現在では時代を約一世紀繰り下げる傾向にある。[12]

一　最初の事績

物語は冒頭から宗教的世界である。ブッダの地上における生涯は天界から始まる。地上に生まれ落ちる前に、ブッダは至福の天国で長い間生死を繰り返し、とうとう最後の生を〔人間の形で〕迎えることになった。他の人間と異なるのは、彼はこの一連の生死の繰り返しの中で、絶えず道徳的進歩を遂げたことである。犬、鳩、ウサギとして生まれたこともあるが、その生涯を絶えず自分の同類を救うことに捧げた。こうして少しずつより清らかな志を持つようになり、「目覚め」が約束された生きもの、すなわちボーディサットヴァ〔菩薩〕となった。こうして長い生死のサイクルが終わりを迎え、次には完全に解放される生を待つばかりとなった。未来の「目覚めた人」は、この最後の生の最初の事績を行った。すなわち彼は神々の世界から人間の世界に降りた。というのは、ブッダになれるのは人間だけだからである。[13]

二　家族の選択

圧倒的多数の生きものとは異なり、彼はその神通力でもって、誕生地と自分の両親とを選ぶことができた。こうして最後の生における第二の事績として母親となる女性の胎内に入った。この女性の名はマーヤーといい、北インドの一小王国の王の最初の妃であった。この名前自体が奇妙である。実際のところ、マーヤーは「幻想」、さらには人間をして自らの本当の姿を理解させず、解放に到らしめない「幻惑」さえも意味する。この名前は意味深長であり、はたして歴史的事実に基づいたものなのか、それとも象徴的なものなのかは検討に値する。将来のブッダである胎児は、母親の胎内にありながら肉体的母胎とは隔離されたベリル（緑柱石）の容器の中で神々から直接栄養をもらって、胚胎期間の数ヵ月を過ごすことになるからである。

三　誕生

将来のブッダは、現在のネパール南部でインド北部に接する小王国のシュッドーダナ王の王子として生まれた。王子の名前はシッダールタ、すなわち「目的を成就した者」という

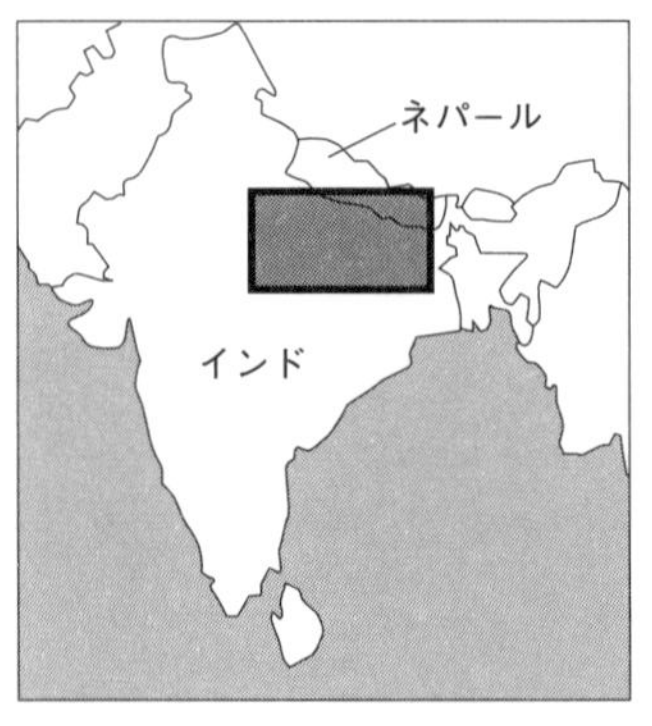

インド、ネパール周辺のブッダゆかりの地

象徴的なものであり、シャーキャ族ゴータマ氏の末裔であった。王国の首都はカピラヴァストゥであったが、誕生したのはルンビニーという田舎の村であり、現在でも仏教徒の巡礼地となっている。生まれるが早いか、その誕生を寿ぐ様々な奇跡的自然現象が現れる

中、彼は四方に七歩ずつ歩み、「私は世界の主である」と宣言した。

王家に生まれた彼は、父王の後を継ぐのが自然の流れであった。しかし、その身体に具わった稀有な特徴（主なものが三十二、細かいものが八十！）を吟味した一人の占い師が、彼には二つの可能性があると予言した。一つは、世界の征服者となる道であり、もう一つは偉大な宗教者、ブッダとなる道である。この予言を聞いて、王子が自分の後を継いでくれることを期待していた王族階級である父王は不安になった。それゆえに、父王はシッダールタが前者の道を選ぶように万端整えた。

四　大いなる出発

シッダールタ王子の誕生から七日して母マーヤーは亡くなり、王子は叔母に育てられた。幼少期の王子のために、父王は宮殿を設け、世の悲惨さが王子の目には留まらないように仕向けた。やがて結婚し、官能的喜びの中にありながら、父王の監視にもかかわらず、王子は王宮の外で四つの決定的な光景を目にした。まずは老人、次いで病人、それから死人、そして出家僧である。従者から、人間は老い、病み、死ぬ運命であると同時に、中には救いを求めて世俗生活を捨てる者がいることを告げられた。

王子は自らも出家の道に入ることを決心した。身籠った妃を残して、神々の配慮で人が寝静まった夜半に、一人の従者を伴い馬に乗って王宮を後にした。こうして二十九歳（伝承によっては十九歳）

断食苦行中のシッダールタ。パキスタン、ラホール博物館蔵

にして、「大いなる出発」と極東で呼ばれる「出家」を果たした。彼は髪を切り落とし、「目覚め」の探求に入った。

五　悪魔の調伏

ゴータマ・シッダールタは数年の間遊行し、当時有名であった偉大な精神的修行者——伝承では何名かの名前が伝えられている——のもとで修行したが、結局は彼らのもとを去った。そのうちに彼は、手強い論敵で、厳しい瞑想修行者としての名声を博するようになった。ある時彼は極度な苦行をし始めた。六年に及んで生命維持活動を徐々に停止し、骨と皮だけにやせ細り、今にも死にそうになった。その時彼は、今までの修行が間違っており、極端な修行はなんの役にも立たないと理解した。彼が再び栄養分を摂取し、体力をつけ始めると、一緒に修行していた仲間は彼に失望し、捨て去った。

しかしシッダールタは決心を変えなかった。マガダ王国を流れるガンジス川の支流であるナイランジャナー川のほとりの一本の木の下に坐り、決定的な瞑想に耽った。この場所はのちのブッダガヤーとして知られるようになった。輪廻世界に君臨する死王マーラは、自らの支配が危険に晒されるのを恐れて、瞑想者をあらゆる手段で誘惑したが、その甲斐はなかった。

六　目覚め

一晩の瞑想の後、シッダールタは三十歳あるいは三十五歳（伝承により異なる）にして、完全かつ

インド北東部、ブッダガヤーの大菩提寺

完璧な「目覚めた人」となった。彼は宇宙のあらゆる理（ことわり）を理解する知性を会得し、自らのすべての過去世を知り、生きとし生けるものの過去、未来の生を知り尽くした。インドのバラモン教を含めて、仏教以前の大半の宗教は啓示に対する信仰に基づくが、仏教の基盤は発見である。それは経験による理解（「目覚めた人」の「目覚め」）であり、同時に究極的には苦しみの存在を綿々と繰り返す世界のメカニズムからの解放である。

七　説法

菩薩はこの時からその名前「目的を成就した者」に値する存在となった。しかし、彼はしばらくの間躊躇した。確かに彼が到達した知識は、すべての人間が陥っている世界の囚人という存在条件から解放する力を持っていた。それゆえにその時点から、彼はそれを自分一人に用いることができたが、慈悲ゆえにそうはせず、その恩恵を他の人間にも及ぼした。結局のところ、ブラフマー神[14]の懇請に応じて、彼は自分の教えを人に伝えることにした。ヴァーラーナシー郊外のムリガダーヴァ〔鹿野苑（ろくやおん）。現在のサールナート[15]〕に赴き、かつての修行仲間五人に初めて自らの経験を語った〔初転法輪〕。こうして開示された「法輪」は仏教の基本的教え、ダルマの真髄であり、以後無限に回され続けることになるが、それは常に生けるものを解放に導くためである。

というのも、ブッダにとって「目覚め」は必要条件であるが、十分条件ではないからである。「目

インド、アジャンタ石窟の涅槃像

覚め」の後、ブッダは自らが生まれた世界にできるだけ長く教えが伝えられ、いつか無知の力が尽きるまで説法し続けねばならない。

八　寂静への入滅〔涅槃〕

この先五〇年の間、彼はシャーキャムニ「シャーキャ族出身の聖者〔釈迦牟尼（しゃかむに）〕」として知られることになるが、教えを説き、彼の没後それを継承する教団を設立するためにインド各地を回った。

彼は人間存在という条件から完全に解放されていたが、なおもこの世界に留まったのは、人間を存在へと縛り付ける燃料――カルマ〔業（ごう）〕――の残滓（ざんし）、あるいはそれまでの行いの余韻を完全に燃焼し尽くすためであった。しかし実際には彼はこうしたしがらみを超越していた。

半世紀ののち、もはや彼にはこの最後の存在を続ける何らの理由もなくなり、黄昏（たそがれ）が訪れた。ブッダは八十歳で完全に消滅した。それまでの行いの余韻は完全に尽き、遺言を残し、薪がなくなった火のように消えた。サンスクリット語ニルヴァーナ「寂静（じゃくじょう）への入滅」であり、これが普通の死と異なっているのは、もはや輪廻しない点である。

東南アジアではシャーキャムニの誕生、「目覚め」、涅槃の三大事績は、ウェーサーカ祭と呼ばれる五月の満月の日に祝われる。なぜなら、これら三つの事績はブッダの生涯の異なる時期ではあるが、暦の上では同じ月日に起こったと信じられているからである。ところが、中国、ベトナム、韓国、日本では、誕生は四月八日、「目覚め」は十二月八日、そしてニルヴァーナ〔涅槃（ねはん）〕は二月十五日である。このことからも、仏教の伝承が地域によりいかに大きく異なっているかが窺（うかが）えるであろう。

第三章　ダルマ　法——第二の宝

西欧の仏教徒の多くはサンスクリット語ダルマに、おそらくそこに何か権威的な意味合いを感じるからであろうが、もっとも自明な「法」[16]という訳語を当てることを躊躇する。その代わりにダルマ、あるいはパーリ語のダンマを用いることを好む。この選択は、南方仏教に関しては容認することができるが、中央・東アジア仏教については、各民族がこの基本概念を各々の言語に訳していることを考えると、妥当ではない。

中国人は古くからこの言葉に「法」という漢字を当てており、漢字文化圏ではこれが受け継がれているが、日本人は独自に「宣（のり）（天皇の）命令」と訳している。

驚くのはモンゴル人の場合である。サンスクリット語ダルマは、中央アジアの古語の一つソグド語ではノム（nom）という言葉で訳されたが、これは古代ギリシャ語ノモス（nomos）に直接由来するもので、ヨーロッパ的文脈で「法律」を意味している（ちなみに、フランス語オートノミ（autonomie、自治）も同じくこの言葉に由来する）。このソグド語ノムが古代トルコ語に伝わり、それがそのままモンゴル語に入ったという経緯がある。仏教に改宗した諸民族は原語にこだわることなく、〔各々の言葉で〕訳語を当てはめていったことを考えると、〔今になって西欧人が〕どうして頑なに原語に固執する必要があるのかわからない。

「法」という言葉には、ダルマが持つ二つの重要な意味、すなわち道徳「法」と、世界秩序を維持する自然「法」が含まれているので、なおさらのことである。たしかにサンスクリット語ダルマは非常に意味範囲が広い。ダルマは世界を司る原理であり、この原理に関する説明であり、我々の意識の対象である現象事実（「物事」）であり、超越すべき事柄であり、この超越に到るための方法であり、この方法に伴う道徳であり、これらすべてに関する教えでもある。中国人もモンゴル人も、「法」を意味する古い言葉にこれらすべてを含意させて憚らなかった。

ブッダがこの世界に出現したのは、ダルマを実現するため、すなわちダルマを理解し、達成し、教えるためである。第二の宝は第一の宝以上に重要であるとさえ言うことができる。歴史的研究がブッダ・シャーキャムニの歴史的非実在性を証明したとしても、彼の名において明かされた「法」の真実性はなんら変わることがない。というのは、仏教徒にとって「法」は世界の真の姿を説いたものであって、それを教えるために出現した者からも自立しているからである。この考えは、もっとも古い仏教美術によく反映されている。そこには「目覚めた人」の姿はなく、「法」がさまざまな象徴——ことにブッダが回し始めた「法輪」——によって表されている。

シャーキャムニは、ヴァーラーナシー郊外の鹿野苑でかつての修行仲間に最初に何を説いたのだろうか。伝承によってかなり異なって解釈されるようにはなったが、それは以後のすべての仏教徒が一様に仏教の基本的教えであると認めるものである。

この最初の教えは「四聖諦（ししょうたい）」と呼ばれる。「諦」の原語サティヤ（パーリ語サッチャー）は「真実」を意味するが、中国語では「自明なこと」という意味合いが強い。「四聖諦」は、この世界における人間の実際の有り様を理解するために知らなければならないことを要約し、そうした存在から解放される必要性を説いている。

一　苦しみの真実〔苦諦（くたい）〕

フランス語〔そして日本語〕で一般に用いられる「苦」という言葉は少し強すぎるので、すべての存在に内在する「悲哀」あるいは「不快さ」と言ったほうがいいだろう。このかなり単純な悲観論的断定は、我々自身の存在をはじめとする、一般的に自明と見なされていることの虚偽性を証明しようとする世界の分析に基づいている。「私」という個人は、車が分解可能なさまざまな部品の集合体であるのと同じく、実際には物質的、心理的要素が寄せ集められて存在しているにすぎない。この「（中国語の）我」あるいは「（インドの言葉の）自身」に対する確信は、我々の行動の原動力たる根源的な「無知」の基盤である。一言で言えば、我々のすべての悲哀は、嫌なものを所有し、欲するものを所有しないことに由来する。[17]

二　悲哀の起源（中国語の意味は「苦しみの集合」）の真実〔集諦〕

人間は、自分の存在条件に関する無知に由来する快楽の飽くなき渇望（あるいは欲求）、抑え難い貪りに駆り立てられ、欲望を満たすために、そして嫌なものから逃げるために休むことなく行動している。それゆえに我々は激情（道徳的「穢れ」）に突き動かされているのだが、我々の行いは当初の目的を超えた結果をもたらす。行いは徐々に一人一人にのしかかり、その重さに相応して次の生が決定されることになる。行いの結果としての重荷が、カルマ〔業〕であるが、それは行いに他ならない。我々は自らの行いに対して責任があり、行いは我々の将来を決定付けていく。

すべてのインド人と同じく、仏教徒は生きものは果てしない生と死の繰り返しの中を循環していると考える。死ぬや否や、生死の連鎖の中のどこかに新たな生を受けるわけだから、絶対的な死というものは存在しない。生まれる境遇は、神々から地獄まで、人間と動物を含めて大きく「六趣」に分けられる。だから仏教徒にとっては神々も永遠の存在ではない。彼らも再生を免れないが、その寿命は人間に比べてとてつもなく長いので、自らの存在の儚さを意識することがあまりなく、そこから逃れたいという気持ちが薄い。それは長い目で見ればよいことではなく、生存の循環を超えられるのは人間だけである。

カルマは、個人の生涯の中で自分が作るものであると同時に自分を作るものであり、「条件付けられた生起」〔縁起〕と呼ばれる心理的・物質的連鎖のメカニズムによって引き起こされる。一般には十二「支」と呼ばれる十二の段階で説明され、「六趣」の中で無知から始まり、老い・病・死に到る。

三　悲哀の消失、あるいは消滅の真実〔滅諦〕

四聖諦の最初の二つは暗いが、最後の二つは〔明るく〕希望をもたらす。自分が置かれた悲哀的状況と、その原因を意識したならば、そこから逃れる方法があることを知らねばならない。その鍵はカルマ、行いという重荷を作ることを止めることである。行いを止めれば、生存の循環の中に再び生まれ落ちる原因はなくなる。行いの消失は、たえず壊され、作り直される一貫性のない寄せ集めである人格の消滅である。これが、ブッダが自らのこの地上における生涯で身をもって示したニルヴァーナ〔涅槃〕である。

四　道の真実〔道諦〕

しかし行い、そしてそれを引き起こす情欲と欲望を消滅させるとは、言うは易いが、実際には難しく、ブッダ自身の例〔第二章　一　最初の事績〕で見たように、長い過程の末に達成されるものである。この道は、よい行い、瞑想、知恵という三つの分野[18]から構成される。この三つは別個のものではなく〔三つながら同時に修められるべきもので〕、人間の行いのすべての分野にわたって八つに分けられている。この八正道は仏教のもっとも古くからの象徴で、二匹の鹿に挟まれた八輻輪の形でインド美術で彫刻されている。

具体的な事柄から始めて、最終的な解放に到るこの四聖諦は、病状の診断、病気の原因、治癒の可能性、処方という古代インドの医者の方法に従っているということが古くから指摘されている。この実際の事態に即した対処は、ブッダが純粋に哲学的な質疑を嫌ったということに対応している。矢に射られた人の手当てをする者には、誰が矢を射たかを詮索する時間はなく、まずは傷ついた人の面倒を見なくてはならない。

仏教はその出発点において、当時のインドの世界観、そしてその前提事項を共有していた。それゆえに輪廻と呼ばれる生々流転に対する信仰も、永遠にその中に彷徨い続ける悲惨さも説明の必要がなかった。非仏教徒は超越的な「自我」の存在を信じ、聖者はいつかそれと一体化することを目指しており、[19]仏教が主張する「無我」を否定したが、現象面における「我」の不在という考えは広まっていた。

輪廻、そしてその悲劇的状況からの解脱という考えは、インド圏以外ことに極東に伝わったが、それほど深くは浸透しなかった。人々は輪廻は信じても、それほど悲惨だとは思わなかった。反対にどの文化圏でも、世の無常、人間存在の儚さを自覚せよ、という常日頃からの教えは、日々の生活の中で実感されており、たやすく理解された。同じく、長いスパンで直接的あるいは間接的結果をもたらすカルマすなわち行いという教えも、その合理的かつ単純な側面から、知識階級のみならず、一般民衆にも受け入れられた。
仏法の精髄は、非常に古い時代から、古代インドから日本に至るまで知られている次の四句に凝縮されるようになった。

物事（ダルマ）は原因があって生じる。
ブッダはそれをお説きになった。
その消滅をも同じく。
これが偉大な聖者の教えである。[20]

これが、文献学上遡（さかのぼ）りうるもっとも古い「目覚めた人の法」の基本中の基本である。ここから後世の仏教の豊かな教えが開花していく。それを担うことになる者たちが、第三の宝である。

第四章　サンガ　僧——第三の宝

入滅後ブッダの遺体は荼毘に付され、遺骨はインド各地に分配された。ストゥーパ——極東ではパゴダ[21]と呼ばれるようになった——と呼ばれる記念碑の中に納められた遺骨は「目覚めた人」の教えがこの世に生き続けていることの目印となり、仏教を保護する世俗権力と密接に結びついた。多くの場合、僧院はその周辺に建立された。

ブッダがこの世に出現したことを示すもう一つのものは、ブッダが残した教えすなわち第二の宝ダルマである。しかし、ブッダ亡き後、この教え——それは同時に、すでに述べたように行動規範でもある——がどうしたら正確に伝えられ、実践されるだろうか。それを保証するのが、サンガ（教団）の役割である。これはブッダ在世中から形成されたが、その中核はヴァーラーナシー郊外の鹿野苑でブッダの最初の説法を聞いた仲間五人であった。

仏教的規律を守りながら世俗的生活を送るのは実際のところ非常に難しい。カルマすなわちわたしたちの行いの結果は、善い場合もあり悪い場合もある。善い行いの総計が、悪い行いのそれを確実に

インドの仏教聖地、サールナート（鹿野苑）

上回り、来世により善い境遇に生まれるためには、恵まれた境遇にいなくてはならない。金持ちであれ貧乏人であれ、日常生活に没頭している者にとっては、心配事、苦しみ、誘惑が多すぎ、八正道を守ることに専念できない。それゆえに、家族を棄てたシッダールタ王子の足跡をたどり、できる限り社会とはかけ離れて生活することが重要である。

しかしながら、「清らかな」生活を送りたいからといって、現実社会を無視することはほぼ不可能である。教団全体を支えようとする人にとっても、また孤立生活をしようとする人にとっても、農業、牧畜業、さらには商業から隔離されては生きられない。サンガが生きていくためには、一般経済活動に従事し、生活必需物資を提供してくれる俗人が必要である。

伝承によれば、ブッダの直弟子に遡る非常に古い時代に、詳細な規定に従って生活する僧侶たちのサンガが成立した。サンガは、重要な争点を調停した数回の「経典編纂会議〔結集(けつじゅう)〕」を経て次第に整備されていった。仏教教団は古来、インド宗教の主流であるバラモン教教団と並んで、社会的に認知されていたことが、紀元前三世紀の碑文により窺える。

仏教僧はその起源からして、日常生活に必要なわずかなもの以外は所有せず、在家信者から施されたものを食べ、身に纏(まと)う「乞食(こつじき)(サンスクリット語ビクシュ、パーリ語ビック)[22]」であった。こうして両者の役割分担ははっきりしており、僧侶は瞑想実践、教義研究、戒律遵守に専念した。サンガ内の僧侶は、人間生活のあらゆる面を規定する二五〇戒(宗派によっては二八七戒)を守ることを誓うが、それはサンガの外にあっては遵守が不可能である。一方で在家信者は、農業従事者であれ、手工業者であれ、商人であれ、軍人であれ、家庭生活を営みつつ、三宝に帰依して、人間である以上誰もが守るべき五戒、すなわち

―殺さない
―盗まない
―淫行をしない
―嘘をつかない

——酒を飲まない

を可能な限り守るようにし、加えて定期的に教団維持のために施しを行う。東南アジアの仏教圏では、僧侶が一人であるいは集団で、毎日家々を回って、敬（うやま）いの気持ちを持って待ち侘びている人たちから食べ物を鉢に受け取る姿〔托鉢（たくはつ）〕がよく見られる。ところが極東の仏教圏、なかんずくチベットでは、仏教教団が巨大な地主となり、必要なもの（さらにはそれ以上のもの）を自らが生産できるようになり、こうした光景は見られない。しかし、在家信者——それが国家権力であったり政府であったりもするが——からの教団への布施は、すべての仏教文化圏に見られる。

この習慣も、行いとその結果の概念で説明がつく。人は、「功徳（くどく）」という善業を積み重ねることで、利益を得ることになる。善業によって得られる功徳はさまざまであるが、教団を対象にしたものはもっとも確実なもので、教団はそこから多くの功徳〔福徳〕が収穫できる田畑という意味で「福田（ふくでん）」と呼ばれる。

この基本的な道徳は、七世紀の日本の聖徳太子がよく口にしていたとされる古い四行句によく要約されている。

もろもろの悪きことを行わず、

もろもろの善きことを行い、
自分の心を浄める。
これがもろもろのブッダの教えである。[23]

伝承によれば、家族生活を捨てる勇気を持たない在家者のためのサンガは、出家者のそれに倣って、ブッダ自身によって創設されたが、それは次善の策としてであり、ブッダ自身は積極的ではなかったとされる。しかしながらこの〔出家・在家〕二種類のサンガは、完全に並行したものであることは疑いない。

女性サンガ

女性サンガに関しても事情はまったく同じである。現代では、仏教では男女が平等に扱われていないと批判される。しかしながら、教団においても在家生活においても、仏教は女性に宗教的実践に対して独立した地位を認めた最古の宗教の一つであるということは認識すべきことである。

伝承によれば、シャーキャムニが女性出家サンガの設立を認めたのは、自らの育ての親である叔母の懇願によるものであった。女性出家者すなわちビクシュニー（パーリ語ビックニー）[24]は、男性僧よりも厳しく、数も多い戒律を守らねばならない。ブッダは、女性出家サンガの設立のために大きく譲歩したわけであるが、それがゆえに自らの教えの存続期間は半減したと言われている。

女性在家サンガに関しても事情はまったく同じである。サンガの維持に対する責任は〔女性出家サンガと〕同等であり、自治が認められている。『テーリー・ガーター（尼僧の偈頌）』[25]は最も古い仏典の一つであるが、その中で尼僧たちは、当時の厳しい制約の中で[26]いかにして解脱への道を歩んだかを謳っている。

それでもなお、仏教が男性に比べて女性を卑しめていることに変わりはない。女性の身体は格別に汚れたものとされ、男性に生まれ変わらなければブッダになることはできない。不思議なことに、性欲に関しては〔女性の場合の記述はないが〕、男性が女性に対して抱く場合、それは「目覚め」への障害となる。こうしたことは何も目新しいことではなく、仏教に限ったことではない。肉欲に限らず、家族の絆も批判の対象となる。事実、出家しようとする男性にとってもっとも強い愛着となり、家に留まらせるのは妻子であり、それゆえに宗教的言説の中でもっとも強く批判される。後になって、女性の精神的可能性に関する新しい視点が生まれても、聖典の中には信者にけっして女性には生まれ変わらないことを保証するものがある。

僧・尼僧の修行にとって、満月と新月に一堂に介して、一人一人が自らの罪を告白し、懺悔することは重要なことである。この儀式は時とともに変遷し、在家信者の参加も許されるようになった。[27]

仏教最初期のインドにおいては、移動が難しかった雨季の間を除いては、修行僧は一箇所に留まることが許されていなかった。しかしかなり早い時期から僧院が生まれて、定住生活が営まれるようになった。しかし中世ヨーロッパでの僧院生活に比べれば、仏教僧院での規律はずっと緩やかで、僧院を離れて生活する僧も咎(とが)められはしなかった。各人は自らの行いすなわちカルマの結果という危険に身を晒すだけであった。

サンガ生活の目的

僧院生活の目的は何だったのか。初期仏教および現在の東南アジア仏教においては、仏教徒の究極目的はブッダになることではない。というのも、われわれが生きている宇宙期間にはただ一人のブッダしか現れないので、〔すでにシャーキャムニ・ブッダが現れた以上、二人目のブッダが出現する余地はないからである〕。それゆえに仏教徒が目指すのは、修行によって「目覚め」すなわち涅槃の平安に到ることである。余分なものを所持せず、在家信者によって生活が保障され、物質的制約から解放された僧侶だけがこの目的に向かって実際に邁進(まいしん)できる。しかし、何度も何度も生を繰り返して初めて達成できる目的である。例えばいい修行をした尼僧はまずは男性僧に生まれ変わることができ、その上で順次何段階もの瞑想過程を進み、それに応じて、心のもっとも深い奥底に潜む情欲までを消し去っていく。こうして、あらゆる障礙(しょうげ)を取り除いた者は、人間として到達できるブッダに次ぐ最高位であるアルハン(パーリ語アラハント)[28]、すなわち「応供(おうぐ)(最高の供養と尊敬に値する者)」となることができる。それは輪廻から完全に解放され、カルマが消滅し、ブッダに準じる次元である。彼らは生涯を終えるにあたって、決定的に入滅する。この「応供」は、ブッダの言葉を聴き、それを完全に実践した者すなわち「声聞（しょうもん）」[29]が到達できる最上位である。

サンガの特徴

サンガに関しても、仏教は宗教史上「嚆矢（かぶらや）」的存在である。サンガの使命はブッダの教えを余すところなく伝えることであるが、一人の生き身の師ではなく、教えを指針として何世紀にもわたって存続した組織的共同体の最初の例である。このサンガには確かに一人の創設者がいたが、その後継者たちは、同資格を持つ構成員の中から選出された者たちであった。サンガは政治権力の保護を求めはしたが、常に一定の距離を保ちつつ、広範囲に伝播した。男女を問わずサンガに入れたが、性的禁欲が宗教実践と探求にとって不可欠な条件であることを弁（わきま）えて、彼らは厳密に別々な共同体を営む。サンガの構成員は、自らの罪を告白し、懺悔し、潔斎し、個別な生活を送り、瞑想に励む。

サンガのキリスト教僧院への影響

こうした背景から、現在まで続く偉大な伝統であるキリスト教のカトリック、正教の僧院と仏教のサンガとを比較しないわけにはいかない。何人もの学者が、仏教のサンガがキリスト教の僧院生活の理想の生成に具体的な影響を及ぼしたとする仮説を提唱している。彼らは、（確実に仏教の影響を被った）マニ教[30]、シリアの僧院生活、さらにはエッセネ派神秘主義者[31]の仲介を想定し、そこには興味をそそられる指摘もあるが、こうした接触から何か決定的な結論が得られるには到っていない。

カトリックの聖者となったブッダ

その逆に、ブッダ自身はヨサファットという名でカトリック教会の聖人の一人として崇められるようになったのは事実である。その生涯は、中世ペルシャ語からアラビア語に、さらにそこからジョージア（グルジア）語、そしてとうとうギリシャ語に翻訳・翻案され、十世紀にはコンスタンティノープル〔現在のイスタンブール〕で知られるようになった[32]。そしてラテン語を介してアイスランド、アイルランド、ロシアに到るまで全ヨーロッパに伝わった。ヨサファットというのは、シャーキャムニがブッダとなる前の「目覚めが約束された者」すなわちボーディサットヴァ〔菩薩〕が訛ったものに他ならない。

第五章　三つの叢書　三蔵

ブッダの肉体は遺骨、遺灰となったが、聖なる遺品が残った。岩に奇跡的に刻まれた仏足石は、ブッダが実際に存在したことの証言であり、信者の礼拝の対象となったが、もう一つの身体はブッダの教えすなわちダルマであり、僧たちが継承し研鑽した。ブッダは五十年間[33]にわたってインド各地で説法したが、その数は計り知れない。最初の教団を構成した僧侶たちは、それを記憶に留めようと努力した。文字がほとんど使用されていなかった当時のインドでは、こうした教えを失わないための唯一の方法は暗誦することであった。しかし、どの教えを暗誦して継承すべきかを決定する必要があった。それが、ブッダの入滅からマウリヤ朝の偉大なアショーカ王[34]までの間に継続的に開かれた編纂会議[35]の任務であった。

アショーカ王の役割

仏教史上よく知られたこの王は、それ以後仏教を保護する篤信な統治者の模範とされた。彼の統治は紀元前二六八年から二三二年頃におよぶ長いものであったが、権力を掌握するために自らが犯した殺戮（さつりく）に慄き（おののき）、統治の初期に仏教に改宗した。彼の王国マガダは北東インドを中心としていたが、次第に広大な範囲に及び、アショーカ王はその帝国全土を道徳的にブッダの教えが支配する土地にしようとした。彼の仏教伝道活動のおかげで、ブッダ入滅後二世紀ほどが経過したインド仏教に関する唯一の古代記録が残されるという非常な幸運に恵まれることになった。彼は、信仰を重んじ、倫理的教訓を推奨する法勅を刻んだ石柱を帝国内の各地に建てたが、それらが十九世紀に発見された。それらによってそれまではただ伝承として伝えられてきた事柄が証明されることになった。バブラ法勅[36]では、アショーカ王はサンガに対して持続的に伝えるべきブッダの教えのリストを作成している。政治権力、しかも統治者自らが教団に対して研鑽すべきテクストのリストを課すというのは不可解である。しかしこのことは、帝国の首都パータリプトラ〔現在のパトナ〕で開かれ、仏教経典を最終的な形にまとめた第三回大結集の開催に、アショーカ王が決定的な役割を果したという古い伝承を裏付けているだろう。しかしながら、さらに驚くべきことは、法勅に刻まれている七つのテクストは、現在まで正統な仏典として伝わっているテクストの中に、該当するものがないことである。

　これは、仏教史研究において歴史的、考古学的情報と、確立された伝承とを比較、照合する必要が生まれた時の問題解決の難しさの好例である。しかしここで問題になっているのは、仏教が現状に到るまでにたどった変遷である。その意味では、古代の王と仏典との間に打ち立てられた関係が何世紀

アショーカ王法勅柱の獅子柱頭（左）。インド、サールナート考古博物館蔵
アショーカ王の十四章磨崖法勅碑文（下）。パキスタン、シャーバーズガリ

もの間にわたったことが立証されたことになる。アショーカ王以後の仏教史を見れば、支配者と聖典の間に同じ関係があったことがわかる。

仏教徒は、仏教の「聖典」が成立したのはシャーキャムニの直弟子たちにまで遡ると信じているが、実際にはそれは紀元前三世紀のことであった。この時初めて、ブッダに帰(き)される教えの全体が組織され、それがサンガによって権威ある仏教テクストの集成、「叢書」と認定された。最初は口頭で伝承されていたが、叢書は全体で暗誦し、読誦されるように厳密に部類分けされた。そして早い時期に、テクストは大きく三類に分類されるようになり、トリピタカ(パーリ語ティピタカ)[37]すなわち「三つの籠」という名称が生まれたが、それはギリシャ人やローマ人と同じく、インド人も写本を籠に収納・保管していたからである。これは当然、テクストが書写されたものであったことを暗示するが、時代的には紀元前には遡らないであろう。いずれにせよ、この表現はアショーカ王法勅には見当たらないが、東南アジア及び極東では、今日まで用いられている。

経蔵

「三蔵」の最初は、スートラ(パーリ語スッタ)・ピタカすなわち「経の籠〔経蔵〕」で、もっとも知られているものである。経はブッダの言葉を収録したものと見なされており、弟子の誰かが実際にブッダから聞いたということで、原則としてすべて「私はこのように聞きました[38]」という表現で始まり、それがテクストの正統さを保証している。経蔵は長さも内容も極めて様々なテクストの集成で、シャーキャムニに遡るとされる教義の継承と発展を反映している。中には、ブッダの過去世における様々な生涯を語る、民話に近いジャータカ〔本生譚〕とか、格言集ともいえる有名な『ダンマパダ〔法句経〕』などが収録されている。経蔵の中の多くの箇所は、時の経過とともに、地域や国、また言葉が異なったりして新たに拡大された。しかしこうした場合、最も革新的な動きであっても、伝統は非常に尊重され、その枠の中に収まるようにとの配慮が常になされた。

パーリ語スッタはサンスクリット語スートラではない？

経の原語であるサンスクリット語スートラは通常、注釈が必要なくらい短い金言を指す。しかし実際の経は、後期のものであっても、テクストが極めて反復的なことが特徴であり、原語スートラの意味に反しているように思える。それゆえにある研究者たちは、古いパーリ語スッタはサンスクリット語スートラの同義語ではなく、実際にはサンスクリット語スークタと同じように、「善く説かれたこと」を意味していたと提案している。これが正しい場合、アショーカ王のバブラ法勅の中でブッダの教えを形容するのに用いられているスバーシテー「善言」という言葉は、スークタの同義語ということになる。

律蔵

第二の蔵はヴィナヤ・ピタカ〔律蔵〕であり、僧侶の共同体すなわちサンガの行動規範集である。ここに収められた規則は、僧侶個人と教団の運営に関する非常に詳しいもので、すべてブッダ自身の言葉として記されている。ということは、ヴィナヤ〔律〕にはスートラと同じ権威が認められている。律蔵もまた時代と部派により変遷した。東南アジア仏教には一つの律蔵しかないが、中国仏教には五種類の律蔵があり、極東、ことに日本では律の概念そのものも大きく変化した。

論蔵

第三の蔵すなわちアビダルマ（パーリ語アビダンマ）・ピタカを訳すのは容易ではない。フランス語では、「スーパー教義」「形而上学」さらには「教義に関する技術的再考察」などさまざまに訳されてきた。中国人はより単純に「論議」と訳したが、これは三蔵のうちの最後の蔵の役割をよく表している。この蔵では、経蔵の中に散在しているブッダの教えが体系的に再編成され、質疑応答の論議が加えられている。大蔵経のこの部分はいわば合理的に構成されており、体系的思考という印象を与えるが、これは聖書の合理的注釈としての中世ヨーロッパ哲学と比較されうる。アビダルマ・ピタカ〔論蔵〕はたしかに三蔵の一つではあるが、〔経蔵、律蔵とは異なり〕本当のブッダの言葉ではなく、仏教思想の継続的発展を可能にしたものである。というのも歴代の学僧たちは、理論的にはシャーキャムニの直弟子から繋がる注釈の流れを自然に継承していくことになったからである。

この第三の蔵は時代と共に重要性を増し、たとえばチベット仏教では中世になると大蔵経はカンギュルとテンギュルの二部構成となり、前者には発達した後期の三蔵〔のうちの経蔵と律蔵〕が、後者にはインド人僧が著述した注釈が収められるようになった。前者には一〇八巻、後者には二二五巻[39]あり、後者はアビダルマ〔論蔵〕の発展したものということができる。中国でも同様で、大蔵経（三蔵は結局こう呼ばれるようになった）は、版を重ねるに従って論蔵の部分が過度に大きくなり、経蔵と律蔵の二つを量的にはるかに凌ぐことになった。

大蔵経の刊行

仏教大蔵経は、すでに述べたようにブッダの精神的身体と見なすことができ、現在でもブッダの遺品以上に尊崇されている。それゆえに、少なくとも同等の敬意を表すべきものである。歴代の王や皇帝が仏教教団を保護するにあたって、それをもっとも目に見える形で表明したのが、大蔵経の刊行という一大事業への財政的支援であり、時代によりさまざまな形で行われた。

中国では宋代（十世紀）の皇帝〔太祖〕が当時の大蔵経に収録されていた一〇〇〇以上の経典を印刷するために、一三万枚の版木を刻ませた。[40]

十三世紀には高麗王〔高宗〕が大蔵経印刷用の膨大な数の版木を刻ませ、それは現在でも韓国南部

ミャンマー、クトードー・パゴダの石板大蔵経

の海印寺[41]に保存されている。[42]

ミャンマーでは十九世紀に、ミンドン王[43]は自らをアショーカ王の再来と見なし、結集[44]を開催し、クトードー・パゴダ[45]に全大蔵経を七二九の石版に刻ませた。これは、中国の房山雲居寺[46]にある一万四二七八の石版に刻まれた石刻大蔵経に匹敵するものである。

三蔵を超えて大蔵へ

仏教圏のあちこちでさまざまな大蔵経が刊行されたが、それらの間に共通点はあまりなく、東南アジア、チベット、中国の大蔵経に共通する部分はかなり限定されたものである。しかし、ブッダの教えはある一つの経典に凝縮されているのではなく、叢書全体に含まれているという考えは共有されている。

ところが、極東の中国と日本で栄えたいくつかの宗派では、〔パーリ語系〕三蔵[47]の価値は驚くなかれ低められ、〔大乗仏典が収録されている〕大蔵が高く評価されるようになった。三蔵はブッダ・シャーキャムニの教えの中でもっともレベルの低いものの象徴であり、大蔵に含まれている教えはそれを凌駕している。三蔵は、より高度な教えを受けることができなかった者たちにとっての次善的なものとなった。

もちろん東南アジア諸国では同じ現象は起きなかった。三蔵はサンガの知的生活の中心であり、紀元前二〜三世紀にアショーカ王のもとで開かれた結集の時に制定されたテクストに遡ると見なされている。

仏教サンガ内部には、シャーキャムニ在世時からすでに対立があったことは証言から知られている。こうした対立はアショーカ王の時代にも表面化したが、それがますます鋭くなり、仏教の大分裂となり、今日我々が知っている小乗、大乗という二つの流れになっている。

第六章　大乗と真言乗

すべての大宗教は、発展と共に分裂するのが常である。主要な精神的運動は、その創始者から時間的に、地理的に遠ざかるに従って、新たな課題に応えることができなくなり、分化していく運命にあるという印象を受ける。分裂は早期に現れ、発展し、硬化し、仲裁不可能な対立となる。一神教系の大宗教におけるこの経緯の結果はよく知られている。キリスト教は、カトリック、正教、プロテスタントに、イスラム教はスンニ派、シーア派、アラウィー派などに分化した。

教団内での部派

仏教もこの例外ではなく、他の宗教よりもいっそう深く、継続的な分裂を経験した。その結果、知的面では並はずれて多彩となった。教義あるいは実践によって厳格に規定された他の宗教とは異なり、仏教では可能な限りありとあらゆる教義が歴史上のある一時期に支持され、仏教徒全員が合意する実践を何か一つでも見つけるのは困難である。例えばヨーロッパでは、非暴力（いかなる生きものであれ、その命を奪うことを拒否すること）、菜食主義、瞑想の込み入った技術などは仏教と不可分と考えられているが、これらは仏教圏であまねく受け入れられているわけではない。

仏教サンガには非常に古くから、大衆派と少数派という区分があったことが資料から明らかになっている。両者はアルハン〔第四章参照〕の地位に関して意見を異にしていた。大衆派はさらに数多くの部派に分化していったが、少数派は今日まで〔テーラワーダ仏教として〕東南アジアに広まっている〔第九章参照〕。

異なった潮流、部派は紀元後最初の数世紀の間にますます細分化していった。その流れの中で、ほとんど革命的ともいえる新しい経典が次から次へと創作されたが、その唯一の明白な目的は、仏教に新たな次元を与えるための教義を開示するということであった。この動きは、人間が到達できる最高の地位であるアルハンを理想の目標として、ひたすら教義を極め瞑想を実践する声聞から構成される伝統的なサンガの倫理的制約の枠を破った。それ以後、新たな理想となったのはボーディサットヴァ〔菩薩〕である。

大乗と小乗

この新しい潮流は、それを推進するテクストの中ではマハーヤーナ（大きな乗りもの）すなわち大乗と呼ばれた。この言葉は、伝統的な教えに依然として囚われている者たちに対して、侮辱的な意味を込めて用いられたヒーナヤーナ（小さな乗りもの）すなわち小乗と対をなす論争用語であることに留意する必要がある。当然のこととして、後者はこの呼称を拒絶している。また、両者の決裂を強調しすぎることもよくない。大乗側は、小乗を根絶するというよりは、凌駕するという点に重きを置いている。大乗の成立にとってテクストが果たした役割の重要性を無視することはできない。かつては文字を敬遠していたインド文明の中で文字が全般的に普及するにつれ、斬新で果敢な教義を広めることが可能になった。それ以前の〔口誦しかなかった〕時代であれば、教えはその提唱者と周りの人たちの間だけに限られ、広まるのがずっと難しかったであろう。

ブッダの教えはすべて、それを受け止める人の知的レベルに応じたものであるという考えが仏教では広く共有されている。たしかに絶対的真実は存在する。しかしそれは表現することができないものであり、この現象世界で真実として提示されたものは、絶対的真実の一面にしかすぎない。この考えから行き着くのは、完璧に真実である教えがなければ、その逆に完全に誤った教えもないということである。その結果、小乗は全面的に誤りではないが不十分であり、せいぜい本質にたどり着けない者たち向けの救いへのいい入門でしかない。

発菩提心

大乗の出現に伴い、三宝の位置関係が変わった。アラハンの理想はブッダの教えを完璧に実践する、すなわちニルヴァーナに到達することであったが、大乗になると第一の宝が強調されるようになった。修行者の究極目的はもはやニルヴァーナに入ることではなく、自らブッダの状態に到達することである。すなわち修行者は、声聞ではなく、ボーディサットヴァ〔菩薩〕「目覚めが約束された者」たらんことを目指す。この言葉は初期の仏教ではブッダ・シャーキャムニの前世および「目覚め」直前の時期以外にはほとんど用いられていない。ところが今や誰もが菩薩の修行〔菩薩行〕に入るべきであると断言されるようになった。その第一歩は、いつの日か完璧な目覚めに到達しようという決心であり、それが「目覚めへの思いを抱くこと〔発菩提心〕」である。この決心をした者は、果てしなく長い道を歩むことになり、その到着点を見るのは何百万世紀という想像もできない先でしかない。菩薩がこの間に積み上げる功徳は、確かに自らの救済に繋がる。しかし菩薩はその慈悲心から、自らの功徳を、自分の解放以前に、無知ゆえに苦しみに沈んでいるこの世の生きものたちに向ける。

叡智〔般若〕

利他的慈悲が仏教修行のキーワードとなる。それには「知恵」とか「叡智」と訳される、菩薩に特有な特別な種類の知性であるプラジュニャー[48]が必要とされる。このプラジュニャーによって、自らを犠牲にしてまでも、生けるものを救済するのに必要な「振り替え〔廻向〕[49]」という行いが可能となる。菩薩の実践は、六つの「卓越した徳性（パーラミター）[50]」を特徴とするが、そのなかで間違いなくもっとも重要なのは「知恵の卓越（プラジュニャー・パーラミター〔般若波羅蜜〕）」である。これが菩薩の救済活動の原動力であり、極東の仏教では他のいかなる特性にも増して重要となる。プラジュニャー・パーラミターは、時として「仏の母」と称されるが、この呼称はその根本的な性格をよく表している。

この仏教のプラジュニャー・パーラミターは、西暦紀元初頭頃の地中海世界で非常に重要であったグノーシス派のソフィア（知恵）を中心とした教義としばしば比較される。ことに両者が同時代であるからであるが、それにはそれなりの理由がある。仮説としては魅力的であるが、どちらかがどちらかに直接の影響を与えたということは、ほぼありえないだろう。

カルマ〔業〕と廻向

大乗では、仏教の最初からの教義の一つであるカルマの信仰の重要性がかなり低くなった。行為はすべて自分一人でなすもので、その結果も自分一人が背負うものであるという個人主義的な考えは確かに残り続けたが、廻向の慈悲的働きはまさにカルマの重圧を軽減した。大乗仏教の主要経典の一つで、紀元後二世紀中頃に成立した『法華経』の中で、観音菩薩（中国、日本では女性の形で表現される）は、苦悩し、危険に直面し、困窮している人が、彼の名前を唱えるだけで助けに来ると約束している。

菩薩戒

少し遅れて成立したもう一つの重要な経典である『維摩経（ゆいまきょう）』では、主人公の在家信者維摩がアルハンの位に達したシャーキャムニの弟子を嘲笑（あざわら）い、在家信者の実践を褒め称え、出家者集団サンガの名誉を貶（おとし）めている。これは同時に、ヴィナヤすなわち教団における規律の重要性が疑問視されたことになる。ここから生まれたのが、在家信者にも出家者にも向けられた、「菩薩戒」と呼ばれる単純化された壮大な規律集である。

無数のブッダ

しかし大乗になると、第一の宝であるブッダも同じように大きな激変を被ることになった。たとえば『法華経』は、シャーキャムニの涅槃は、この世の生きものへの慈悲心からの演出にすぎないことを明らかにしている。実際のところはブッダは想像を超える計り知れない昔にすでに目覚め、入滅しているわけである。

大乗ではただ一人のブッダが存在するのではなく、宇宙には無数のブッダが存在している。われわれの世界の西方に位置する極楽に住む阿弥陀仏はその中の一人で、その慈悲にすがる者はすべて、その極楽に迎え入れられる。

こうした新しい見方は、ブッダの身体観そのものを壮大にしていった。ブッダのさまざまな形での行いを説明するのには、ブッダは三つの次元に存在し、行動すると仮定する必要があった。現象的次元はこの世における行動であり、シャーキャムニのそれが一例である。その上の次元は、菩薩だけに向けられたブッダの行いである。さらにその上の表現できない究極の次元は、涅槃ではなく法界(ほっかい)であり、我々の世界では区別されているさまざまなブッダのアイデンティティーはただ一つに融合する。

中観派と唯識派

最後に大乗仏教は、仏教教学を体系化し、現代においても大哲学者の中に数えられる数々の思想家を生んだ。なかんずくナーガールジュナ〔龍樹(りゅうじゅ)〕（紀元後三世紀中頃。中観派の代表者）は、一連の『般若経』に説かれる「空(くう)」の概念に関する考察を極めた。チベット仏教は、おおかた彼の思想を継承している。

大乗仏教のもう一つの潮流は、アサンガ〔無着(むじゃく)〕とヴァスバンドゥ〔世親(せしん)〕兄弟によって代表され、瑜伽行派(ゆがぎょうは)、あるいは唯識派と呼ばれ、極東で大きな影響を及ぼすことになった。

両派は、自らの基本的立場を表明するために論議したが、それによって論理学が大いに発展し、重要な著作が残された。この論理学はチベット仏教に継承され、入念に学習されたが、中国、韓国、日本ではさほどのインパクトを残さなかった。

ナーガールジュナ（龍樹）

空

大乗仏教の中心概念である「空」は、『金剛経』の最後にある次の四句に凝縮されている。

すべての現象は
夢、幻、泡、影、
露、雷のようなものである。
物事はそのように見なすべきである。[51]

密教・真言乗

大乗仏教の後で、インド仏教の変遷過程の中で最後の段階となる「ダイヤモンドの乗り物（金剛乗）」あるいはタントリズムが出現する。この名称は、（スートラと同じく）本を意味し、同時に儀礼も意味するサンスクリット語タントラに由来するが、このことはタントリズムの特徴をよく表している。タントリズムとはブッダの言葉とされるもろもろのテクスト中の教示であるが、これらのブッダたちは地上に出現したシャーキャムニよりも次元の高いものとされる。この教示を学習するためには、資格のある師から儀礼的な許可をもらい、師の監督、指導のもとで修行しなくてはならない。タントリズムは、それ以前の古い教義では、考察、瞑想、よい行いによって達成してきたものを、細かく規定され、魔術的様相を呈した実践によって実現しようとするものである。すなわち、至高の現実への到達、すなわちあらゆる現象の絶対への変容、生きもの〔凡夫（ぼんぷ）〕とブッダの区別も含めて、すべての対立するものが融合した完璧な一体性の実現である。

両界種子曼荼羅のうち、金剛界曼荼羅。文明６年（1474年）５月９日銘。福島県浪江町大聖寺蔵

タントリズムは極東ではしばしば密教あるいは秘義と呼ばれる。その実践の主要な法具の一つがマンダラ〔曼荼羅〕であるが、これはチベットではかなり異なった形式となっている。これは至高仏であるマハーヴァイローチャナ〔大日如来〕の投影としての宇宙を図式的に表したものである。修行者は、一定の儀礼を行うことによって、マンダラを構成するブッダあるいはボーディサットヴ

アのうちの一つと自らの一体性を確立する。

世間を超越した尊格にはマントラ〔真言〕と呼ばれる音が結びついており、それは一つであることも、複数であることもある。師は弟子に、瞑想の支えとなるマントラを授ける。マントラは、一つのブッダあるいはボーディサットヴァを表しており、修行者の精神的修養の鍵である。仏教の至上の尊格と、音、そしてそれを表す文字〔種子〕との一体性は、尊格が文字で象徴されている日本のマンダラ[52]に見事に表現されている。

仏教タントリズムは、五世紀から七世紀にかけてヒンドゥータントリズムと並行して発展した。おそらく後者が前者に影響を与えたのであろうが、時として〔小乗、大乗に続く〕第三乗と見なされる「金剛乗」は、仏教の初期の教義とは大きくかけ離れている。しかしタントリズムは、まずはインドにおいて大きな影響を及ぼし、インドにおいて仏教が姿を消す前の最終形態となった。タントリズムは、チベットはもちろんのこと、日本でも、非常に独自な形で現在まで生き続けている。

第七章　中央アジアと中国への伝播

仏教は、その方法は大きく異なるが、キリスト教とイスラム教と同じく最初から伝道、宣教という側面を持っていた。しかし、伝道が君主によって組織化され、推奨され、ブッダの教えがインド文化圏を越えて、本当の意味で異国に伝わるようになったのはアショーカ王の時代からである。

ガンダーラ・ギリシャ仏教美術

中央アジアおよびイラン世界への扉はインド北西部すなわちガンダーラとカシミールである。前者は「ガンダーラ・ギリシャ仏教美術」が開花した地域として有名である。この新しい様式は、ギリシャ美術の様式に従ってブッダおよび仏教の聖者たちを表現したもので、アレクサンダー大王〔アレクサンドロス三世〕（生年未詳〜紀元前三二三年没）の征服後に現れた諸王国の王たちによってインド北西部の辺境地域にまで浸透した。ブッダを人物像として表現するこの新しい様式は、一方でインド内部に浸透し、古代からの土着様式と融合した。また一方でガンダーラが諸文化の通過点であるという地理的特徴から、カラコルム峠でヒマラヤ山脈を越え現在の中国新疆ウイグル自治区のタリム盆地（現在でも時として中国トルキスタンと呼ばれる）にまで伝わった。

ガンダーラ仏。東京国立博物館蔵

絹の道と仏教の西漸

〔タリム盆地中央部の〕タクラマカン砂漠に沿った崖に穿鑿（せんさく）され、壁に仏教絵画が施された石窟が多く存在するが、それらをたどることでこのガンダーラ・ギリシャ仏教美術が東漸した足跡と、同時にそれが中国絵画の技法と題材と融合していった過程が窺える。〔東に向かっては〕カシュガル[53]、クチャ[54]、キジル[55]、ホータン[56]、楼蘭[57]を経てトルファン[58]、敦煌に到り、そこから中国の歴代首都〔長安、洛陽〕、そして終着点である日本列島にたどり着き、西に向かってはサマルカンド、ブハラ、ペルシャ〔現在のイラン〕、そしてついにはコンスタンティノープルに到るいく筋もの道は絹の道〔シルクロード〕として知られる。

この「絹の道」を移動したのは、仏教美術だけではなかった。絹の道はまずは交易ルートであり、『法華経』のいくつかの寓話に語られているような隊商たちが行き交う道であった。中央アジアのオアシス都市に最初に仏教を伝えたのはおそらくインド商人たちであり、やがて伝道僧たちが彼らに同行し、弟子を獲得し、地方の君主の宮廷に取り入るようになった。こうして仏教僧団と政治権力との間に特権的な関係が打ち立てられ、仏教王国が成立した。

敦煌莫高窟で調査に没頭するポール・ペリオ

一方でタリム盆地には北インドの言語

に比較的近い印欧語を話す民族が元来住み着いており、他方でカシミールはクシャーナ朝・グプタ朝（紀元後一世紀から六世紀まで）の期間を通じて仏教の知的活動が活発であったがゆえに、仏教の伝播はスムーズであった。地理的に近いということもあって、中国辺境には仏教徒の集団が栄え、仏教の研究および伝播の中心地となった。この地方を出発点として、数多くの仏教僧が中国内地に移住し、仏典の翻訳に励み、伝播に努めた。中国における仏教伝播の最初の数世紀の間は、中国人に劣らず多くの外国人が活躍していた。

中央アジアのイスラム化と仏教の終焉

この実り多い仏教文明が中央アジアから姿を消すのは十一世紀のイスラム教徒トルコ人の侵略以後である。それ以前、トルコ語系言語を話す民族の一つであるウイグル族は、仏教文化を育んだが、カシュガル出身のトルコ語文人マフムード・カーシュガリー[59]は、タリム盆地における仏教の終焉を次の四行詩にこう記述している。

我らは怒濤の如く押し寄せ、
彼らの都市に到り、
偶像を祀る神殿を破壊し、

インド西北部・中央アジアの主要仏教関連地図

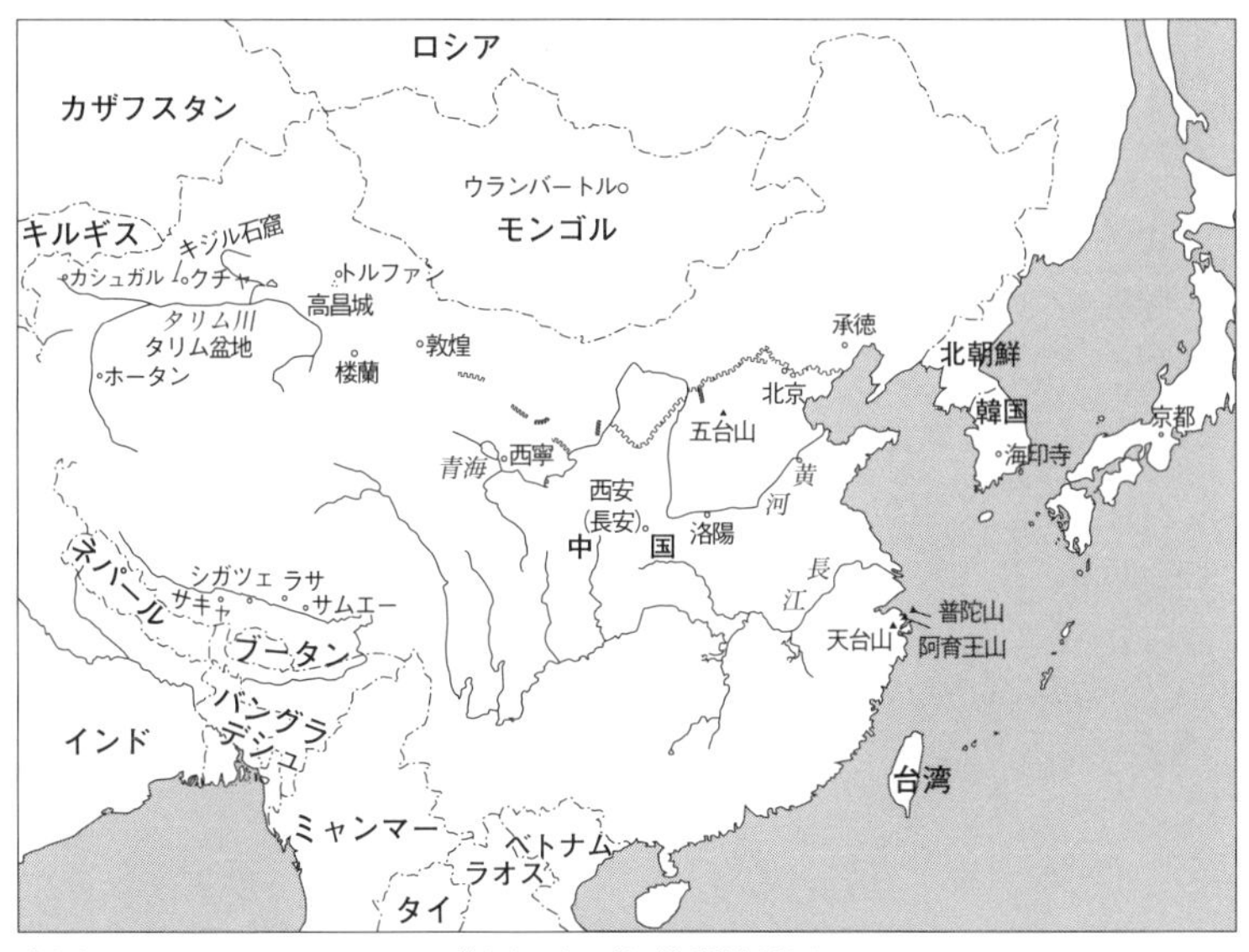

中国、チベット、モンゴル、韓国の主要仏教関連地図

偶像の頭部に糞をした。[60]

アフガニスタン、バーミヤンの大仏。2001年、タリバンによって破壊された

中国伝来

中国仏教の古資料は、半ば伝承でしかないであろうが、インド名の——ただし中央アジア出身の可能性もある——二名の僧[61]が仏教をもたらした公の年として紀元後六七年を記録している。彼らは当時

の首都であった洛陽に何櫃もの経典を携えて、最初の仏教寺院となる白馬寺に居を構え、即座に翻訳作業に取り掛かった（同じような出来事がこの後の中国仏教史で何度も繰り返し語られる）。

紀元後一～二世紀に仏教が伝播した形跡は見られるが、中国においても仏教僧団と世俗権力との間の特権的関係が形成されるのは仏図澄（三四八年[62]に百十六歳で逝去！）が到来してからである。中央アジア出身の彼は、当時中国北部に侵攻した遊牧民に霊験あらたかな行いをなすことで大きな影響力を発揮した。彼が仕え、彼を重用した権力は長続きはしなかったが、彼は数多くの弟子を育てた。その一人である道安（三一二年～三八五年）は経典の解釈に関する中国の正統を打ち立てた。

中央アジア出身の研鑽を積んだ仏教僧たちは、何世代にもわたって仏教伝道という偉大な事業に貢献した。その中でも最も著名な一人がクチャ出身の鳩摩羅什（三四四年～四一三年）で、その影響は極東全域に及んだ。彼は中国人に半ば誘拐されて、長安に連れてこられ、そこで訳経事業を続けることになった。その後何世紀にもわたって中国仏教に大きな影響を及ぼすことになる『法華経』『維摩経』『阿弥陀経』、そして龍樹による〔『二万五千頌般若経』（通称『大品般若経』）に対する〕巨大な注釈書である『大智度論』は、すべて彼が訳出したものである。

七～八世紀は外国人訳経僧が活躍した最後期にあたり、彼らは密教経典を将来し、訳出した。

仏教の受容

仏教は中国人に熱狂的に受け入れられ、中国文化にこれだけ永く、そして深く浸透した唯一の外来宗教となった。非常な困難に遭遇する長旅にもめげず、「求法」のためにインドに赴いた中国人は相当な数に上る。その中で特筆すべきは玄奘（六〇二年～六六四年）である。彼は十五年にわたって全インドを旅し、サンスクリット語を完璧に習得し、数多くの経典を長安に持ち帰り、終生訳経に携わった。彼の訳経方法は文献学的に精緻なものであり、「新訳[63]」と呼ばれた。

玄奘三蔵。東京国立博物館蔵

ほぼ同時代の義浄（六三五年～七一三年）もインドに十年滞在したが、彼は海路を選んだ。広東を

5～7世紀頃に造営された中国の仏教遺跡、龍門石窟。河南省洛陽市。

出発してスマトラ島を経由し、おそらくベンガルに着いたと思われる。

この二人の僧が生きたのは、中国文明のみならず、中国仏教にとっての絶頂期である唐（六一八年～九〇七年）代の初期であった。六世紀から八世紀にかけて、儒教と道教という二つの古い伝統を持つ中国思想の光のもとでインド仏教を再解釈するという作業が行われた。遠い将来において釈迦牟尼仏の後継者となるべき弥勒菩薩に対する信仰の発展は道安に遡るが、民衆の間に広まった。彼に続いて慧遠（えおん）（三三四年～四一六年）は、西方に位置する極楽に信者を迎え受ける阿弥陀仏信仰を始めた。この浄土信仰も六～七世紀に民衆の間に非常に浸透し、その後極東全域に広まった。

天台宗の最も著名な師である智顗（ちぎ）（五三八年～五九八年）は『法華経』をブッダの教えの頂点と

見なし、それをかなり中国流に解釈する流儀を打ち立てた。法蔵（六四三年〜七一二年）によって大成された華厳宗は『華厳経』を基本典籍とし、完璧に連結構成された宇宙という壮大な思想を打ち立て、極東の美意識および哲学思想に大きな影響を及ぼした。

禅仏教

中国文化は仏教から深い影響を被ったが、その反面仏教に対して極めて独自の方法で働きかけた。インド人の宗教感覚にとって根本的な関心事の多くは、中国人思想家や民衆が気に掛ける事柄ではなかった。それゆえに、中国ではインドと異なった事柄が問題とされるようになった。

禅――中国語読みでは「チャン」であるが、日本語読みの「ゼン」の方が〔世界的に〕よく知られている――という、ある人たちからは極度に中国化された仏教の一形態と見なされる特有な現象は、こうした背景から生まれたものである。九世紀末の『臨済録』はこの潮流の最も有名で代表的な典籍の一つであるが、同時に仏教徒にとってたえず問題となる事柄に関する解答とも言える。大蔵経の中に記されているとてつもなく雑多で、相互にくいちがう教義、推奨される瞑想方法や儀礼の煩雑さや多様性を前に、禅師たちはそれらを徹底的に拒否し、本当の仏教は経典、教え、言葉、さらにはブッダさえも超えたものであると宣言した。禅は伝統と縁を切ろうとするものであるが、強調しなければならないのは、この抜本的断絶は、たとえば阿弥陀仏の名前を唱えるだけで救済されうると説く浄土思想とつまるところほとんど変わらないということである。同様に、輪廻の世界と解脱の世界との断絶は、輪廻と涅槃、煩悩と悟りはまったく同一のものであると説く教義[64]では否定される。

禅およびその他の宗派（とりわけ天台宗と密教）における基本的な問題の一つは、ブッダの本質すなわち仏性（ぶっしょう）であり、誰がそれを具えているかという問題である。それは言い換えれば、誰がブッダになれるのかということになる。ここに到ると、もはやダルマ〔法〕もサンガ〔僧（伽）〕もほとんど問題にされない。かといって、信者が一層仏教活動に参加することが求められても、教団が問題視されることはなかった。こうして、訳経の黄金期を通じて、偉大な学僧たちは経典の文面を中国語として一層整備することに従事した。

虚雲（1840–1959）

太虚（1890–1947）

儒教、道教、仏教の三つ巴

しかしながら、本来の仏教からすれば逸脱したこの教義は当然と言えるものではない。仏教は、その最も輝いた唐代に最も厳しい廃仏を経験した。八四三年から八四五年の間に、すべての外来宗教は禁止され、寺院は接収され、僧・僧尼は還俗（げんぞく）させられた。宋代（十～十三世紀）になり仏教はこの打撃から立ち直り再び栄え、さらにモンゴル人が中国を征服した元代（十三～十四世紀）にはチベット仏教の形で保護されるようになったが、続く明代（十四～十七世紀）には以前に増して激しい弾圧を受けた。こうした歴史の流れの中で、儒教、道教、仏教の三教義の融合運動が芽生えるようになった。

仏教の再生

仏教が中国で再生するのは二十世紀になって太虚（一八九〇年～一九四七年）と虚雲（一八四〇年～一九五九年）という偉大な仏教改革者が出現してからである。毛沢東主義と文化大革命という最悪の時代〔一九六六年から一九七六年まで〕には中国仏教は終焉したかに見えたが、最近の数年間を見るとけっしてそうではなかったことがわかる。

第八章　チベットからモンゴルへの伝播

仏教はまずは中国に伝わったが、それにはヒマラヤ山脈という障壁を迂回しなければならなかった。しかし時代が下って仏教はその山脈を越え、そこから西欧にとってもっとも魅力的な宗教文化の一つが生まれた。それがチベット仏教である。

インド世界と中国世界の中間に位置する、広大ではあるが人口が希薄なチベットは、七世紀から十世紀までの短い期間であったが中央アジアと中国における一大政治勢力であった。その帝国の範囲はタリム盆地からベンガル湾にまで広がっていた。

チベットへの前伝期（九世紀まで）

チベット史書によれば、仏教導入は最初の偉大な王でチベット版図を拡大したソンツェン・ガンポ[65]に遡る。彼は七世紀に天才的大臣を筆頭とする使節をインドに遣わし、その結果文字と仏教がもたらされた。この王は、中国とネパールから二人の妃を娶（めと）ったが、各々の王妃は自国で流行していた仏教

チベット、デプン寺の大タンカの開帳。ラサ市。平野聡氏撮影

をもたらした。

一世紀余が経ったティソン・デッェン王[66]の治世下に、チベットは禅宗系の中国仏教教義を捨て、インド仏教を採用した。これはその時催された宗論の結果であるが、その詳しい歴史的経緯はわかっていない。同じ時代に、ブラフマプトラ川の左岸に位置し、ラサ[67]からあまり離れていないサムエーの地に、インドから招かれた僧侶たちの主導で一大仏教寺院が建立された。本殿は三層構造であるが、各層はチベット風、中国風、インド風と異なっている。インド僧の中で特筆すべきは、インドの北西地域出身のパドマサンバヴァというタントラ行者である。彼はチベットでもっとも尊崇される僧となり、もっとも古く、もっとも深い教えに結びついている。

中国でも最初はそうであったように、続く数世紀の間はインドから来た僧侶たちの貢献とチベット人自身の作業が交錯した。しかしながら中国との大きな違いは、仏教導入が極めて組織的に行われた点である。王権の直接の監督の下、早くから仏典の翻訳に統一性を持たせるため、翻訳者が従うべきサンスクリット語・チベット語辞典が編纂された。

仏教と王家の結びつきは非常に強く、後世にボン教の名前で統合されていった、仏教以前からの古い信仰を擁護する有力氏族たちは勢力を落とした。彼らは起死回生を図り、凶暴なランダルマが王位に就くことを支持し、この王は組織的に仏教を弾圧した。その結果仏教は中央チベットからはほぼ姿を消し、辺境地域にかろうじて生き残った。ランダルマは八四二年に暗殺されたが、破壊された仏教は復興のすべがなく、チベットは混沌の一世紀に入った。チベット仏教史は、これ以前を前伝期（ぜんでんき）、これ以後を後伝期（こうでんき）として二区分されている。このチベットの破仏は、奇しくも中国での破仏[68]とほぼ同時期であるが、両者の間に何らかの関連があったとは思えない。

後伝期（十一世紀以後）

後伝期はインド僧とチベット人の共同作業で始まった。チベット人の中で特筆すべきはカシミールに遊学したリンチェン・サンポ（九五八年～一〇五五年）である。インド僧の中の筆頭はベンガル生まれのアティーシャ（九八二年～一〇五四年）である。彼は当時のインド仏教の偉大な師たちから教えを授かったが、そのうちの一人がナーローパで、彼の神秘宗教歌は今に伝わっている。

仏教は政治的砂漠の中で再び開花した。チベット帝国は崩壊し、権力はいくつもの小王国と氏族の間に分散したが、その一つ一つが突出した学識、あるいはただ単に魔術力のある僧を保護するようになった。

十二世紀以後、チベットには数々の宗派が創建されたが、そのうちいくつかは現在まで存続している。ヨーロッパではミラレパ(一〇四〇年〜一一二三年)[69]の名前がよく知られているが、それはその素晴らしい伝記に負うところが多い。彼は、タントリズムの入門儀礼〔灌頂(かんじょう)〕と密教のテクストを求めてインドに赴き、〔アティーシャと同じく〕ナーローパに会った偉大な翻訳者マルパ(一〇一二年〜一〇九七年)の弟子である。

サキャ派

サキャ派は、アティーシャの弟子の系譜の二世代目に当たる僧の創建になるが、その壮大な僧院はタシルンポ[70]とディンリ[71]の中間に位置している。この宗派は、古代王国が崩壊して以来最初のチベットの統一政権の中核となったという点で、チベット史上重要である。それは中国帝国を支配したモンゴル人皇帝フビライ[72]の保護によってであった。フビライはサキャ派の長であったパクパ(一二三五年〜一二八〇年)に帰依し、全チベットに対する支配権を与えた。パクパの叔父サキャ・パンディタ(一一八二年〜一二五一年）も偉大な学僧であり、彼が著作した格言集は現在でもチベット人によく知られている。[73]

ニンマ派

モンゴル人による元朝の終焉と共にサキャ派の権力も失墜し、諸宗派間の激しい権力闘争が始まった。この状況の中で、前伝期に活躍した師たちからの系譜であると主張するニンマ派「古派」が基盤を広めた。この派は、一層緩やかな僧院規制の伝統に戻ろうとしたが、それは後伝期の特徴であった戒律の復活に対する反発からであっただろう。ニンマ派はその教義を正当化するために、「埋蔵法典発掘」という独自の手法を編み出した。これは昔の偉大な師たち、なかんずくパドマサンバヴァが埋蔵しておいたテルマ（埋蔵法典）を、テルトン（埋蔵法典発掘僧）が超能力で見つけて発掘するというものである。

タントリズムの修行者のモデルとなったのは、かつてインドに生きた「八十四成就者（シッダ）」と総称される修行者たち（中には中国風の名前の者もいる）である。彼らは、般若と空を完全に極め、経典のあちこちに説かれている驚異的な能力の持ち主である。修行者がその修行の結果を待ち焦がれたり、戒律（ヴィナヤ）なかんずく性的禁欲の重要性を相対化したりするのは、人間的である。多くの著名な師たちも、市井の名も成さない僧侶たちと同じく妻帯するようになった。在家者と出家者との境界が薄れたことは確かであり、現代のニンマ派においてそれが顕著である。

ボン教

こうした仏教諸宗派と並行して、チベットの古代信仰が組織化された形としてのボン教も成立した。ボン教徒（ボンポ）は、必ずしもチベット起源ではない、ありとあらゆるさまざまな教えを統合した一種の反体制的宗教勢力である。独自の大蔵経、教団組織、儀礼を持っているが、その外見は仏教に酷似していることから、ある人たちはこれを別個の宗教ではなく、仏教の特異な一形態と見なした方がいいと考えている。

ゲルク派

ゲルク派[74]の創始者である偉大な宗教者ツォンカパ（一三五七年〜一四一九年）の業績は、タントリズムの無軌道な実践に対する一つの反動と見なすことが可能である。ツォンカパは、自身タントリズムの教義に精通していたが、高度な修行段階に到るのには厳格に規定された学習過程を、教団の規律を守りながら漸進する必要性を強調した。ゲルク派が推奨する修行方法は合理的な面がある。初学者は、まず推論の有効性の検証に基づいた論理学、文法、そして仏教教義の基礎から学び始める。学習過程は非常に長く、「ゲシェー（博士）」の位に到るのには十二年あるいはそれ以上かかる。ラサ周辺

チベット仏教の聖地、ポタラ宮。平野聡氏撮影

のゲルク派三大寺院（デプン、セラ、ガンデン）はまさに仏教大学であり、何千という僧侶を収容していた。

ダライ・ラマとパンチェン・ラマ

ゲルク派は教義学習を厳格に再興することで政治権力から尊崇されるようになった。モンゴル人による元朝は崩壊したが、その後もチベット及び中国西部はいくつかのモンゴル氏族の支配下にあった。最有力者の一人であったオイラート部のアルタン・ハーン（一五〇七年～一五八二年）は、ツォンカパの教えの継承者であり、観音菩薩の化身と見なされたソナム・ギャツォ（一五四三年～一五八八年）にダライ・ラマ[75]（「大海のような偉大な師」）の称号を授けた。後世になると、ソナム・ギャツォは〔初代ではなく〕第三世ダライ・ラマと数えられ、この化身系譜で間違いなくもっとも名高いのは「偉大な五世」と呼ばれたロサン・ギャツォ（一六一七年～一六八二年）である。偉大な学僧であるとともに優れた政治家であった彼は、一六四二年に公式にチベットの統治者となり、一六六〇年からはポタラ宮殿に居を構えた。政治権力者としてのダライ・ラマに対して、シガツェのタシルンポ寺に住まう、阿弥陀仏の化身系譜であるパンチェン・ラマは精神的な権威であった。この二つの化身系譜はゲルク派内部での権威であったが、共産主義中国による侵略が一九五〇年に始まり、一九五九年に決定的となるまで、その政治的威信は間違いなく全チベットを支配していた。十四世ダライ・ラマは長い亡命生活を余儀なくされているが、その権威は一九八九年のノーベル平和賞により象徴的に高まった。

モンゴル仏教

ゲルク派の下でのチベット仏教の伝播は中央アジアにおいて目覚ましかった。後継のダライ・ラマは、先のダライ・ラマの没後数週間して生まれた子供を探し、本当の生まれ変わりかを試験で確かめて認定されるが、この化身という考え自体が想像力を掻き立てて人々を魅了した。こうしてチベットとモンゴルでは、寺院の長は徐々に化身制度で継承されるようになった。モンゴル最大の仏教寺院の一つは、ガンデンというチベット語名が付けられ、ジェプツンダンパ・ホトクトという「活仏」系譜の権威のもとに置かれた。その最後［の八世ボグド・ハーン］は、奔放な人物であったが、一九二四

北京のチベット仏教寺院、雍和宮。©Ren.K

年に共産主義者の砲弾に倒れた。外モンゴル[76]（カルムク族居住地）でも内モンゴル（中国に併合された）[77]でも、仏教寺院は宗教的中心であったばかりではなく、文化、科学ことに医学の普及の中心でもあった。

清朝のチベット仏教

チベット仏教が最後に伝わったのは、十七世紀に中国を奪って清朝（一六四四年〜一九一二年）を打ち立てた満洲人の間にであった。清朝は一九一一年の〔辛亥〕革命によって倒されたが、チベット仏教[78]との間に元朝時代と同じ関係を維持した。清朝のチベット仏教擁護の象徴の一つが北京中心部にある雍和宮で、ここは現在チベット、モンゴル、満洲文化の重要な拠点である。もう一つの象徴は、十八世紀にポタラ宮を模して建造された中国北東部ジョホール[79]（現在の中華人民共和国河北省承徳市）の皇帝の避暑山荘で、現在では国際的な観光地となっている。

この地域の仏教圏は二十年程前[80]には消滅の危機に瀕していたが、二十世紀末の政治情勢の予期しなかった発展によって、今後新たな活力を取り戻すことも可能であり、大いに期待される。

第九章　東南アジアへの伝播、そしてインドへの回帰

テーラワーダ

大乗仏教は中央アジアと極東に広まったが、その主要対抗潮流であり、〔大乗仏教からは〕小乗仏教と蔑称された「声聞乗」はインド大陸から徐々に消え去っていった。しかしこのテーラワーダ[81]すなわち「古老派（または長老派）」と自称する仏教形態は、お互いに非常に異なった文化を持つさまざまな国々に定着し、今日まで発展した。テーラワーダ仏教は、パーリ語三蔵を基準としており、パーリ語がシャーキャムニがマガダ王国で説法するにあたって用いた言葉であると主張している。それはまずあり得ないが、パーリ語がインドの古い言葉であることは確かで、アショーカ王の法勅が記されている方言に比較的近く、仏教の教えを記すためにだけ用いられた。東南アジアのテーラワーダ仏教圏、すなわちスリランカ（かつてのセイロン）、ミャンマー（かつてのビルマ）、タイ（かつてのシャム）、ラオス、カンボジア、そして南ベトナムのラオス系文化圏では、このパーリ語三蔵がブッダの教えである。東南アジア仏教はこの点では共通しているが、それは表面的に過ぎず、「古老派」の教義が途絶

えることなく伝承されてきたと考えるのは誤っている。その逆に、歴史的資料によれば、いくつかの国々ではテーラワーダが広まったのは比較的後代になってからで、すでに伝わっていた大乗、さらにはタントリズムの伝統に取って代わったのであり、大乗とタントリズムのいくつかの実践は生き延びている。現在のテーラワーダの優位は、退廃した仏教を克服するためになされた一連の改革の成果である。

テーラワーダという呼称は全域で用いられているが、その実態は国ごとに異なっている。文語としてのパーリ語は共通しているが、それを記す文字はさまざまで、一つの文字を読めても、他の文字が読めるわけではない。発音もまた非常に変化しており、たとえばブッダはビルマ語ではボダー、カンボジア語ではプトゥ、タイ語ではプッターといった具合である。こうして、仏教のもっとも一般的な用語や表現も、言葉が変わると、同一であると認識するのが難しい。

仏教がインド亜大陸からほぼ姿を消した今となっては、テーラワーダはその外面的保守主義ゆえにインド起源に直結する唯一の生きた仏教伝統となった。仏教がインドで消滅した原因が今でも論議されるが、大きく二つの要因に帰すことができる。一つには、伝統的インド宗教が、ことに南インドで力強く復興し、仏教教義のいくつかから発想を得ながら、激しい論争を挑んできた。もう一つには、北インドでは八世紀以後イスラム教が進入し始め、十二世紀にはトルコ軍により仏教施設は最終的に破壊された。現在のビハール州（この名称は、仏教寺院を意味するヴィハーラに由来する）にあったナー

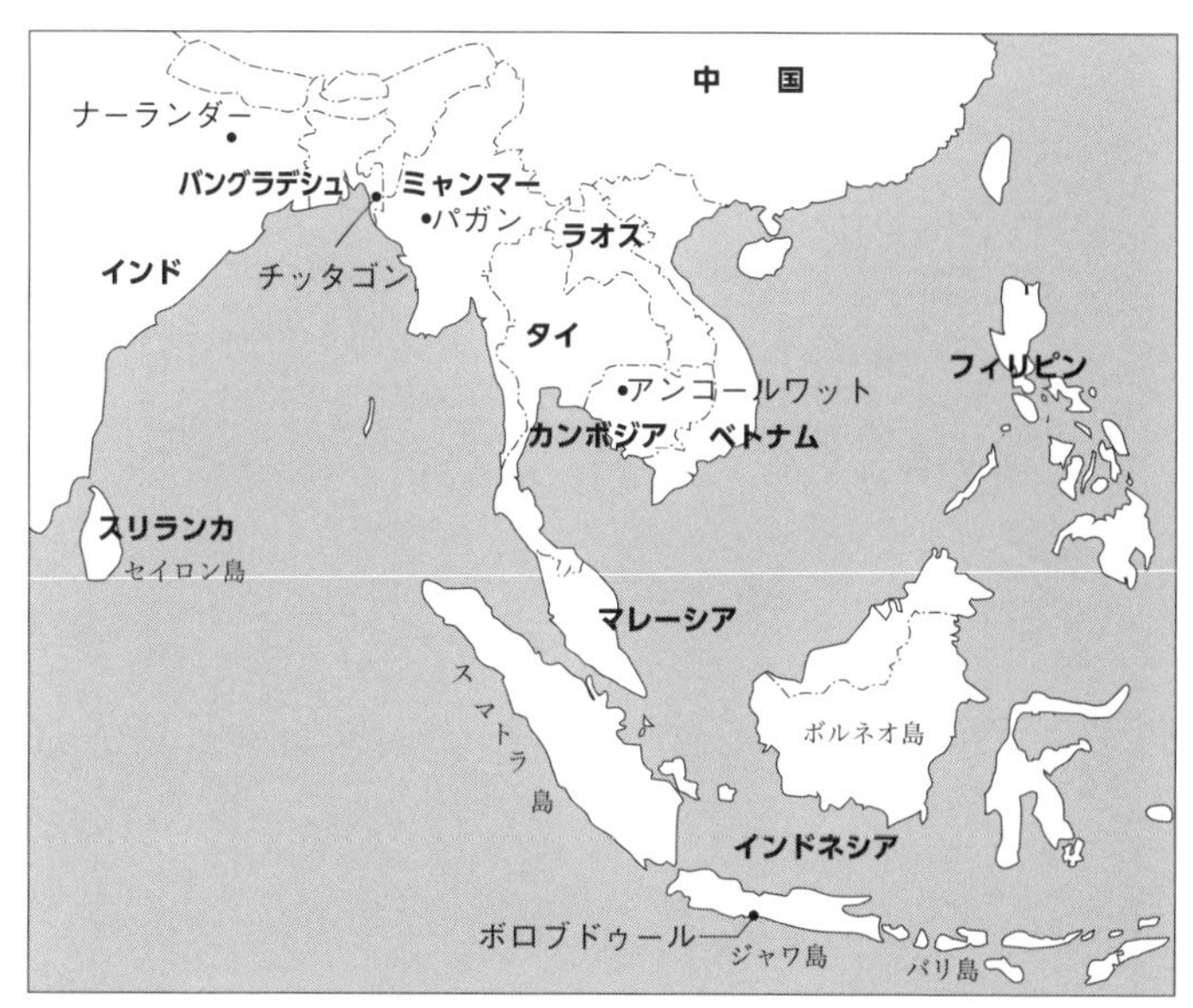

東南アジアの主要仏教関連地図

タイ、バンコク郊外で托鉢するテーラワーダ僧

ランダー仏教「大学」は、仏教文化の最も輝かしい中心地であったが、破壊を免れなかった。

スリランカ

セイロン島（現在のスリランカ）はテーラワーダ仏教のもっとも古い伝承を誇っており、その起源はアショーカ王の子供たちにまで遡ると伝えられている。その後大乗仏教とタントリズムも伝わってきたことがわかっているが、伝承によれば十二世紀になって王勅によって開かれた宗論の結果廃止された。

ミャンマー

伝承によれば、ミャンマーにも古くから仏教が伝わった。ミャンマーはいくつもの民族から構成されているが、ビルマ族がピュー族、モン族（クメール族の傍系）、シャン族（タイ人と同族）、カレン族などを支配下に置き覇権を掌握した。パガンを中心とした地域では、それ以前に大乗仏教、タントリズム、土着宗教などさまざまな要素からなる目覚ましい文化が発達していた。しかし、十一〜十二世紀にスリランカから伝わったテーラワーダ仏教がそれに代わった。スリランカとミャンマーはこの時期緊密な関係にあり、スリランカで形成された仏教組織でもって、政治的課題を同じように解決した。

カンボジアの仏教寺院、アンコールワット

タイ、カンボジア、ラオス、ベトナム

さらに東の、現在のカンボジア、タイ、ラオスそしてベトナムの大半の地域では、アンコールワットの壮大な遺跡に象徴されるクメール（カンボジア人の別称）文化が長い間栄えた。八世紀から十四世紀までのこの素晴らしい文明の絶頂期には、仏教の主流は大乗仏教の非常に独特な形であり、そこには明らかにバラモン教の影響があったことが、現存する数多くのサンスクリット語碑文からわかる。カンボジアがテーラワーダ仏教を取り入れ、その下で平和と秩序を取り戻したのは、政治的、宗教的な混乱が続いた後の十四世紀になってからであった。

この改宗は中国南部起源のタイ族[82]が、インドシナ半島における新たな勢力となったからである。十二世紀に南下してきたこの民族は、シャムとラオスの二つに分かれるが（ミャンマーのシャン族は含まない）、クメール文明を吸収し、独自の文化を築き上げた。そのことは現代タイ語の語彙中に、カンボジア語起源の言葉が多いことが物語っている。ラームカムヘーン王（一二三七年頃〜一二九八年）[83]はシャム文字を考案したのみならず、当時の時流に従って自らの王国にテーラワーダ仏教を定着させた。

続く数世紀の間、テーラワーダ仏教を信奉する王国間には継続的な関係が保たれた。最初はスリランカがミャンマーの模範であった。〔しかしその後スリランカでは仏教が衰退し、〕十七世紀になるとスリランカの支配者は、島内のサンガの弱体化を止めるために、ミャンマー、次いでタイに使節を派遣し、教学の学習と僧院の規律の復興を担う僧侶を招聘した。この三王国の王たちは、パーリ語三蔵の由緒正しい版を建立することに力を注ぎ、この動きは二十世紀のカンボジアまで続いた〔第十一章末参照〕。

この地域で唯一植民地化を免れた国であるタイ（かつてはシャムと呼ばれた）は現在でも国王がサンガの保護者であり、国の文化的精神的統合の象徴である。

混乱と虐政が数十年続いたカンボジア王国にも再び同じような均衡状態が戻る可能性は残っている。

インドネシア

しかしながら仏教が完全に消え去ってしまった地域もある。東南アジアでは、現在のインドネシア

インドネシア、ジャワ島の仏教遺跡、ボロブドゥール

のジャワ島とスマトラ島がそのもっとも典型的な例である。

七世紀末に中国人僧義浄〔第七章参照〕がインドに赴く前にサンスクリット語を習得したのがスマトラ島である。ジャワ島の中心部にあり世界的に知られるボロブドゥール（あるいはバーラーブドゥール）仏教遺跡は、ヒンドゥー教王国と戦っていた歴代支配者たちによって八五〇年頃に完成した。これは大乗仏教の主要教義を石に刻んだものであるが、タントリズム——古ジャワ語に翻訳されたテクストが残っている——の強い影響が見られる。仏教とヒンドゥー教は、ジャワ島での覇権を競ったが、十五世紀になってインド洋からイスラム教商人がやってきて、徐々にイスラム教を確立し、古くからの宗教は劣勢となった。ヒンドゥー教だけはバリ島で非常な活力を保ち続け、ジャワ文学の伝統を保存している。

古代チャンパ王国は、中央ベトナム（越南）とカンボジアの一部に栄え、大乗仏教の豊富な考古学的、美術的遺品が残っている。しかしその子孫たちはマレー語とジャワ語に関連したチャム語を話すが、大乗仏教の遺産を失い、かなり独特な形のイスラム教にほぼ完全に改宗し、ほんの少数のヒンドゥー教徒が残っているだけである。[84]

インド亜大陸

仏教はインド亜大陸からはほぼ全面的に姿を消した。例外は、ネパールにおける非常にヒンドゥー教化したタントリズムと現在のバングラデシュのチッタゴン地域だけである。インドはブッダを完全に忘れ去ったわけではなく、たとえばブッダを偉大なヴィシュヌ神の〔十〕変化(へんげ)〔の一つ〕として取り入れ、仏教をヒンドゥー教の中に融合していった。

アンベードカルと仏教の再生

それゆえに一九五〇年代以降のインド仏教の再生を目の当たりにするのは興味深い。仏教の復活は、予想され得たすべての成果をもたらしはしなかったが、人口のかなりの部分が、自国に生まれながら忘却の闇に葬られた宗教に対して、はっきりとした関心を抱くようになった最初の兆しである。

この潮流の創始者はビムラオ・ラムジ・アンベードカル[85]（一八九一年〜一九五六年）である。彼はインド中西部マハラシュトラ州のいわゆる不可触民（ダリットあるいはハリジャン）カーストの貧しい家に生まれた。ヒンドゥー教の伝統的なカースト制度による差別待遇に苦しみながらも、彼はそうした境遇の多くの人がしたように、カーストの差別を考慮に入れないイスラム教に改宗しなかった。彼が仏教と接したのは遅かったが、同じ境遇の者たちを政治的に守ることに専念した。独立インドの最初の政府で大臣となり、仏教への改宗が不可触民を政治的に救済する道であると確信するに到った。

一九五六年十月十四日、アンベードカルは三宝に帰依し、五戒を守ることを誓い、厳粛に仏教に改宗した。ミャンマー人僧侶を導師とする厳かな儀式で、彼と共に三〇万八〇〇〇人の不可触民が五戒の遵守を宣誓した。こうしてこの運動はテーラワーダ仏教に固く結びついた社会運動となった。アンベードカルは改宗の六週間後に亡くなったが、彼の運動は拡大し二〇〇一年には仏教徒の数は八〇〇万人に達し、インドの五番目の宗教となった。

ビムラオ・ラムジ・アンベードカル（1891–1956）

こうして再生した仏教は、テーラワーダ仏教とは異なった特徴からしばしば「アンベードカル仏教」と呼ばれたが、その本当の性格を考えてみる必要が確かにある。まず最初に西欧仏教の影響が見られる。そもそもアンベードカルを最初にブッダの教えに導いたのは、イタリア系アメリカ人僧侶ローカナータ（一八九七年〜一九六六年）であった。次には、この運動は本質的には世俗的、政治的であり、インド人サンガは形成されなかった。たしかにパーリ語三蔵はインドでもっとも用いられているデーヴァナーガリー文字で印刷されたが、テーラワーダ仏教に回帰するという動きはなかった。またアンベードカル自身が起草し、改宗者に課された「二十二誓願」も考えてみる必要がある。それは、本質的にはヒンドゥー教とのあらゆる妥協を拒否するもので、その実践は仏教の融合的性格に沿わないものである。

第十章　朝鮮から日本への伝播

朝鮮仏教

朝鮮半島は早くから中国文明の影響を受けた。紀元前後には民族が異なるいくつもの国に分かれており、いずれも中国の宗主権の下にあった。それが徐々に統一に向けて動き出し、六六八年に新羅が宿敵百済と高句麗を相次いで滅ぼして統一国家として朝鮮半島の大部分を支配した。その後高麗、十四世紀からは朝鮮王朝と推移していったが、新羅が近代朝鮮国家の起源である。新羅の台頭は中国における唐朝の成立、そして日本の精力的な政治的、文化的改造と同時期である。

中国との交通は比較的容易であったので、数多くの朝鮮僧が中国に渡り偉大な高僧に学び、中には中国仏教史上大きな功績を残した者もいる。たとえば円測（えんじき）[86]（六一三年～六九六年）は偉大な玄奘の弟子となり、ヴァスバンドゥ〔世親〕の教えを深め、義湘（ぎしょう）（六二五年～七〇二年）は華厳宗の高僧の一人となった。しかしながら、この時代からはっきりとした自立意識があった。義湘と同門であった元暁（がんぎょう）（六一七年～六八六年）は唐行きを拒み、在家生活を送ったが、彼の数多い著作は現在大蔵経に収録さ

韓国、海印寺の蔵経板殿に保存されている高麗大蔵経。仙波志郎撮影

れている。時代は少し下るが、同じ態度は禅（朝鮮語ではソン）の大家知訥（朝鮮語読みではジヌル。一一五八年〜一二一〇年）にも見られ、彼は中国に渡る途中で悟りを開いて首都に戻り、以後朝鮮仏教の主流となる曹渓宗を創設した。こうした事柄はすべて朝鮮仏教の最盛期であった高麗時代の出来事である。九世紀の廃仏の時に紛失した天台宗の典籍を中国から持ち帰った諦観（生年未詳〜九七一年）という僧侶もいる。彼が著作した『天台四教儀』[87]は後に日本の天台宗において重視されるようになった。十三世紀に開版された大蔵経は一般に「高麗大蔵経」〔第五章参照〕と呼ばれ、朝鮮仏教の黄金時代の象徴である。

朝鮮王朝（十四世紀〜二十世紀）の歴代支配者は熱心な儒教信奉者であったために、仏教は厳しく統制された。辺鄙な地方に追いやられた仏教は、学問よりも実践に専念した。

続いて二十世紀前半の日本占領下においては、日本風仏教を定着させようとする試みがあったが、独立と共に消滅した。

その結果、現在の韓国ではキリスト教徒と仏教徒はほぼ同数で、残りの人々はシャマニズムに近い民衆宗教を奉じている。北朝鮮はというと、現在の独裁体制下では宗教は絶望的状態であるが、実際のところはこの体制が終わってみないとわからない。

日本への仏教伝来

仏教は五五〇年頃に公式に日本に伝えられた。それは百済王が欽明天皇に仏像と漢文仏典に添えて、中国では今やこの教えが支配的であると述べる親書を献上したことに始まる。百済王は、仏教を一種の近代化の最先端の事物として紹介したわけであるが、この論調に日本人はいつの時代も敏感である。

数十年の間、日本の神々の伝統的な祭祀を重んじる氏族が猛烈に反対したが——これは時代的には少し下るが、チベットで土着信仰が仏教に反発した事例を思い起こさせる——新宗教は疫病治癒といった神異によって定着することになった。不思議なことに、日本における最初の受戒者は女性であり、正式な戒律を受けるためには百済に赴く必要があったことに注意を払わねばならない。

聖徳太子像。宮内庁御物

飛鳥時代

仏教が本格的に発展するのは、朝鮮半島から渡来した師たちから仏教教育を受けた聖徳太子（五七四年～六二二年）の働きによってである。聖徳太子に帰される十七条憲法は仏教を国教として宣明したものと見なされるが、実際にはこの中には仏教的要素以上に儒教的要素が含まれている。しかしながら日本史においては、聖徳太子は仏教を保護した治世者として、日本のアショーカ王的存在として記憶されている。

奈良時代

仏教が最初に栄えたのは、首都が置かれた地名にちなんで名付けられた奈良時代（七一〇年～七八四年）である。この時代の第一の特徴は、それまでは文化交流が朝鮮半島との間に限られていたのが、中国との間に重点が移り、その首都長安には日本朝廷からの外交・宗教使節が定期的に派遣され

東大寺の大毘盧舎那仏

るようになったことである。

仏教の興隆を象徴するのは七五二年に建立された東大寺である。華厳宗の本山であるこの大伽藍には、この宗派の本尊である大毘盧遮那仏が安置された。同じ頃、朝廷の招きに応じて鑑真（六八八年～七六三年）が中国から渡来し、七五九年には唐招提寺を建立し、ここに戒壇院で厳格な仏教の戒律[88]が日本において初めて授けられた。〔南都〕六宗[89]が創設された奈良は、国際的な仏教の中心地となった。

平安時代

首都が平安京（現在の京都）に遷されるとともに、新しく平安時代（七九四年～一一八五年）が始まり、中国から新しい教義がもたらされた。隆盛を誇る「南都」仏教に対抗するために、新しい知識と正統性を求めて日本人僧が中国に渡った。そして平安時代を代表する天台宗と真言宗の二大宗派が誕生した。

天台宗は中国の天台宗を継承したものである。開祖の最澄（七六七年~八二二年）は八〇四年から八〇五年にかけて一年足らずの間中国に滞在したが、日本に帰ってからは、『法華経』に説かれる修行をその中心に据え、前世紀に鑑真がもたらした具足戒に代わって「菩薩戒」[90]という独自の受戒法を創設した。最澄の没後まもなくして八二二年に、京都の北西に位置する比叡山に菩薩戒壇の設立が勅許された。こうして日本においては正式の完璧な受戒が七〇年ほどしか続かなかったことは、極めて皮肉なことである。

天台宗のライバルは、偉大な高僧空海（七七四年~八三五年）を開祖とする「真言」すなわち「真実の言葉、マントラ」に基づく真言宗である。最澄と同時に中国に渡った空海は、インドからもたらされたばかりの最新の教えである密教を日本に伝えた。密教の教えは、京都の東寺に開示された二つの曼荼羅〔両界曼荼羅〕に代表される無尽の美しさと荘厳さでもって、朝廷と貴族たちを深く魅了した。天台宗の法要は確かに荘厳であったが、その学究的な教義は、魔術的要素に欠けており、それに覆われた真言宗の出現によりその威勢は翳(かげ)ることになった。

最澄の二人の後継者である円仁と円珍は、この魔術的要素の欠如を補おうとした。彼らは中国に渡り、密教的法要と同じ潮流の典籍を求めた。彼らの滞在は、九世紀半ばの廃仏の時期であったが、唐代の最後の繁栄を体験することになった。彼らは日本に帰り、天台宗に密教的色彩が加わった「台密」を打ち立て、以後天台宗では学究的な教義と密教的教えが並行するようになった。

奈良時代と平安時代の宗派は第一義的には貴族向けのものであった。しかし八世紀以後は民衆に働きかける僧も現れた。行基（ぎょうき）（六六八年〜七四九年）は民衆を困窮から救済するために一生を捧げた。また伝説的要素が多い役行者（えんのぎょうじゃ）[91]は呪術に大いに優れていた。能や歌舞伎によく登場する山伏は、彼を祖と仰ぎ、山に籠って仏教のもっとも秘教的修行に励む呪術僧である。

両界曼荼羅より金剛界曼荼羅（上）と胎蔵界曼荼羅（下）。京都市、東寺蔵

鎌倉時代

十世紀末からは、教えを簡潔化し、修行を広めることを旨とした潮流が出現した。この流れは、将軍が朝廷の権威から断絶を試みた鎌倉時代（一一八五年～一三三三年）に優勢となった。

その中でもっとも根本的なのは末法思想に基づく浄土系宗派であった。末法思想とは、時代の経過とともに、釈迦牟尼仏が説いた教えを理解し、実践することができる者がもはやいなくなる時代が到来しており、阿弥陀仏の慈悲にすがって救済される以外に道はないと主張するものである。この浄土思想をもっとも徹底させたのは親鸞（一一七三年～一二六二年）である。彼は阿弥陀仏の慈悲に全面的にすがり、その名を唱える念仏だけが唯一有効な修行であると説いた。彼が創設者となった浄土真宗は現在でももっとも多くの信者を擁している。彼は妻を娶ることで、本来の戒律の制約からキッパリと解放された宗教者の生き方の見本を示した。

同時代に、同じく天台宗出身の日蓮（一二二二年～一二八二年）は、救済に至る彼自身の独自な抜本的方法を提唱した。『法華経』に全面的に依拠し、単にその経題を唱えるだけで救済されると主張した。

禅は中国起源であるが、鎌倉時代に興隆し、共に天台宗出身である二人の僧によって、二つの流派に分かれた。一つは栄西（一一四一年～一二一五年）の臨済宗であり、もう一つは道元（一二〇〇年～一二五三年）の曹洞宗である。臨済宗は、不可解・不合理な「謎」（公案）を実践し、理性を沈黙させることで悟りに至ることを推奨するものであり、曹洞宗は坐禅を唯一有効な修行であると見なすものである。

こうした潮流の全てに共通しているのは、膨大な大蔵経に説かれている極めて複雑な教義、実践、儀式の抜本的単純化である。実際のところ、大蔵経全体を読んだと自慢できるのはほんの一握りの僧だけである。民衆、貴族、武士に自らが実際に、そして有効的に仏教を実践しているという気持ちを抱かせたことが、こうした単純化された教えが、さまざまな階級に受け入れられ、普及した理由である。

江戸時代

長く続いた江戸時代（一六〇三年～一八六七年）は、仏教伝来からちょうど千年遅れて十六世紀中頃に到来したキリスト教に対して、日本の独立に対する脅威と見なして厳しい禁教政策をとった。そして仏教を一種の国教とすることによって、誰一人としてヨーロッパ人の宗教を信奉しないようにした。

明治時代

これに対する反発から、キリスト教は日本の知識層に仏教の外来性を認識させることになった。明治時代（一八六八年～一九一二年）になって日本が西洋に門戸を開くと、日本人のアイデンティティーについての考察が始まり、外来要素から浄化されたどこか人為的な神道が今度は公式に国教となった。一方仏教は、中国の文化大革命にも匹敵する徹底的な排斥の対象となった。この廃仏毀釈(はいぶつきしゃく)運動は、神仏習合を禁止し、それまで日本の宗教性の表現であった仏を廃棄することになった。

第二次世界大戦後

終戦と共に、神道はそれまでの地位から失墜したが、仏教が返り咲くことはなかった。ここで出現したのは、「新興宗教」と呼ばれるかなり独自な現象である。その中では、日蓮を祖と仰ぎ、『法華経』を崇拝する在家宗教が数多く見られる(創価学会、立正佼成会など)。しかし一層革新的な運動もあり、伝統を無視して、外国——中には西洋もある——の仏教を直接導入したりする、正直なところ軌を逸したと言えるものもある。こうした中で、もっとも過激な集団であるオウム真理教による一九九五年春の東京メトロでの襲撃事件は記憶に新しい。

日本における仏教の歴史は終わりにはほど遠い。既成の大教団は今でも活発であり、仏教系の大学では学究的教義が近代的研究と並んで教えられている。昔から長い間続いている仏教教団の世俗化は、僧侶の妻帯が一般化し、個々の寺院が家族資産となることが伝承の継続の鍵となっている。

第十一章　仏教と言語

仏教圏における言語の問題はその複雑さと宗教史研究上の興味深さから、一考に値する。

おそらく紀元前三世紀にアレキサンドリアでヘブライ語からギリシャ語に訳された『七十人訳聖書』が、西欧文化圏における近代的な意味での翻訳の最初であることが、最近になり注目されるようになった。宗教テクスト全文を原文に忠実に——当初の訳語そのものはそうではなくても、結果的には逆説的にそうなった例もある——伝える必要性は、現代にまで続く文芸活動の最初の原動力であった。現在では、この活動のリズムは飛躍的に拡大し、その中における宗教テクストの割合はかつてとは比較できないほどに少なくなっている。

アジアでも同様であった。ブッダの教えを諸民族のできる限り多くの人に伝えようとすることが、巨大な翻訳活動の出発点であり、それは該当諸言語の現在の形を作るのに深い影響を及ぼしている。いくつかの消滅した言語の場合、唯一残っているのは往々にして仏教テクストであるが、現在知られているだけでもかなりな数になる。冒頭で述べたことを裏付けるように、いくつかの言語の場合、商

業文書を除けば、残っている文書はほとんどキリスト教か仏教の翻訳文書に限られる。サマルカンドの言語であるソグド語の場合がまさにそうである。それゆえに伝播を担った言語を介して仏教史を語ることが可能である。これはインドにおいても当てはまる。

パーリ語の貝葉写本。CC-BY-4.0

パーリ語

先に述べたように、最古の仏教テクストであるテーラワーダの仏典は、アショーカ王の帝国で用いられていた言語に比較的近いパーリ語——単純に「聖典」を意味する——で記された。パーリ語はブッダ自身が話した言葉ではないことはほぼ確実である。それゆえに、これはすでに翻訳ということができる。

サンスクリット語

ブッダ在世当時およびその後の何世紀にもわたって、インドの宗教的、知的で偉大な言語はサンスクリット語であった。ブッダは明言してはいないが、弟子たちに彼の教えをサンスクリット語にしないようにと忠告していたと伝えられており、初期の仏教徒たちは意識的にサンスクリット語を避けてきた。その理由は、サンスクリット語とバラモン教との繋がりがあまりにも強かったからであろう。

しかし紀元後一世紀頃に大乗仏教が出現すると、状況は一変し、インド仏教はサンスクリット語を優先的に用いるようになった。しかし仏教徒が用いたサンスクリット語は「混淆(こんこう)サンスクリット語」と呼ばれ、古典サンスクリット語からはかなり逸脱したものであった。それでも、中央アジア、中国、チベットに伝わった仏典の大半は、この言葉で記されたものであり、いわゆる小乗の経典もこの言葉に書き直されて伝えられた。仏典がサンスクリット語で記されるようになった背景には、インドにおいてサンスクリット語がバラモン教聖典以外の諸々の分野で用いられるようになったことがある。仏典のサンスクリット語化は、こうした一般的状況の変化に追随しただけで、そこになんらかの宗教的意図があったと考えるべきではないであろう。しかしながら中国文化圏では、そして不思議なことに日本では、サンスクリット語は「ブラフマー神〔梵天〕の言葉〔梵語〕」として真言を記すのにもっとも有効な言葉となり、それを記すインド文字〔梵字〕も同じように見なされた。

トカラ語、コータン語

インド以外では、仏教は周辺の文化に二重の働きをなした。

いくつかの事例では、仏教は新たな文字文化の起源となった。すでに文字が存在していた文明の場合でも、仏教はブッダの教え以外に文法学や論理学を導入することによって、文明にはっきりとした形を与えた。たとえばタリム盆地ではトカラ語とコータン語文学が開花した。前者は印欧語族の中の独自な一つであるが、十九世紀末期に発見され、それまでの言語学の知識を一変させた。コータン語は、パミール地方やヒンドゥークシュ地方にも現存している言語と同じく、イラン系言語の一つである。コータン語の文学は断片しか残存していないが、膨大なものであったと推測でき、初期の中国仏教に直接的影響を与えた。

中国語

中国には仏教伝来以前から豊富な文字文化があったが、この新たな外来宗教はそれに独自の要素をもたらした。数世紀にわたって、何百人という知識人が関与した一大翻訳事業は、中国語本来の意味に新たな意味を加えたり(たとえば、すでに言及した「法」という字の事例)、新造語を作ったり、インドの言語を外来語として新たに語彙に加えたりすることによって、中国語を一層豊かなものにした。

驚くべきことに、仏典翻訳の過程で生まれた新造語は近代思想を表現するのにも用いられている。中国研究者の中には、現代中国語の「世界」や「時間」は西欧の概念に由来する「新語」であると考える人がいるが、けっしてそうではなく、それらは十五世紀も前にすでに仏教テクストの翻訳中に用

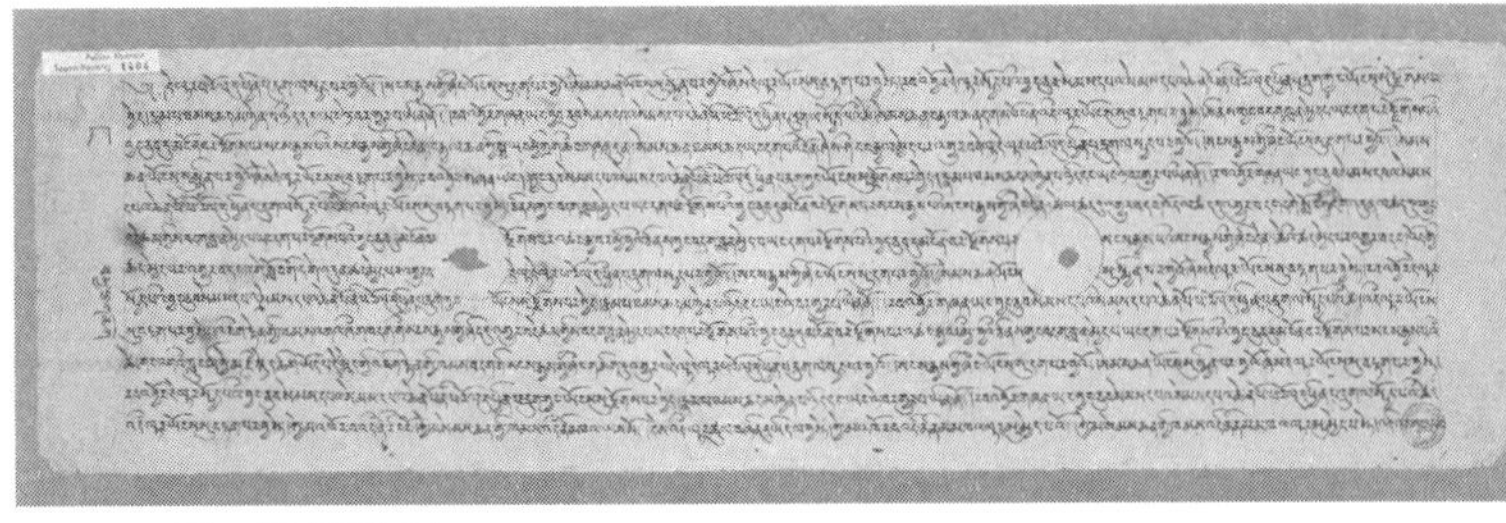
チベット語の貝葉形写本

いられているものである。

こうした表面的な事柄以上に、仏教は中国語世界に深い影響を及ぼした。俗語表現とか、それ以前には厳密に除外されていた話し言葉での表現が初めて認められるようになった。またインドの言語の文法概念は、世界の捉え方に新たな次元をもたらした。過去、現在、未来という三時制がはっきり区別され、複数表現、能動・受動の区別も明確になった。繊細緻密な仏教心理学は中国語の抽象概念の語彙を豊かにした。

チベット語

中国語の場合とは異なって、膨大なチベット語文学はほぼ全部が仏教の落とし子であると言っても過言ではない。中央政権の監督のもとに翻訳者と文法学者によって行われた緻密な翻訳事業は、瞬く間に統一された文体を生み、最初は外国文献の翻訳が主であったが、やがてチベット人自身の著作にも用いられるようになった。この文体は、それ以後最近に到るまで、チベット文化のほぼ唯一の表現形式であった。つい最近になって、中国がチベットを占領し、ラサ方言に基づいた近代語の使用を義務化したことと、ブータンが地方の方言を公用語92にしたことが唯一の例外である。

ウイグル語

八世紀から十二世紀にかけて、トルコ系民族であるウイグル族はマニ教から仏教に改宗し、仏教の影響のもとにトルコ語系言語による最初の偉大な文学を創作した。現存しているのはごくわずかではあるが、中国の甘粛地方の「サリク（黄頭）ウイグル族」は現在でもこのテクストを用いているし、（チベット大蔵経の「仏説部」に当たる）カンギュルのウイグル語訳が現在でもポタラ宮に隠されているという噂（伝承）もある。

モンゴル語

モンゴル人が中国を支配し元朝（一二七一年〜一三六八年）を打ち立てた時、新たな支配者の言葉すなわちモンゴル語の書記を担ったのは、ウイグル人僧侶たちであった。そして不可解なことではあるが、非常に意味深長なのは、チベット語大蔵経カンギュル（「仏説部」）とテンギュル（「論書部」）のモンゴル語訳という大事業がなされたのは、モンゴル人が支配する元朝が滅びてからかなり後になって、満洲人による清朝の奨励によってである。モンゴル人僧侶は仏教を学習するのにも、著作するのにも、ほとんどすべてチベット語を用いており、モンゴル語訳は実際には何の役にも立たなかったことを考えると、一層奇怪なことである。実際モンゴル人は驚くほど効率よくチベット語を習得していたし、貴族層はモンゴル語をほとんど読まなかった。それゆえに、この事業は第一義的に象徴的なものであったが、モンゴル人の標準文語を提供し、現在でも内モンゴルで使われ続けている。

西夏語

謎に包まれたタングート族の王国（中国語では西夏（せいか）で、チベット語ではミニャであり、現在でもこの名前の少数民族が存在する）は一二二七年にモンゴル人に滅ぼされた。それ以前の二世紀にわたる独立期間中（一〇三八年〜一二二七年）に、漢字を基にしてアジアの歴史上もっとも複雑な文字を作り、チベット語カンギュルを西夏語に翻訳した。これは彼らの短い繁栄期間の金字塔である。こうした事例からわかるように、仏教大蔵経を自らの言語に訳出することは、民族の国家意識の樹立と見なされていた。この一連の流れの最後となるのが、十

西夏語・文字の木版写本

八世紀に乾隆帝（在位一七三五年～一七九五年）の勅令により実現されたカンギュルの満洲語訳である。チベット僧の監督の下、十七年を要したこの事業は、中国語訳と対照して行われたという特徴を持つ。

中国語大蔵経圏：韓国、日本、ベトナム

大蔵経が自国語に翻訳されずに、漢文のまま読まれた国々でも、仏教はそれらの国の国語の発展に力強く貢献した。

日本では九世紀頃に訓点によって漢文を規則的に日本語に置き換える方法を編み出したのは、おそらく仏教僧であったであろう。七五三年には奈良薬師寺の仏足跡に二十一首の和歌が万葉仮名で刻まれたが、これは日本語で書かれた最古の文学作品の一つであり、九世紀以後一般化する音節（音表）文字であるカナの先駆的なものである。

朝鮮では十五世紀半ばに創案されたハングル文字が長い間仏典の翻訳に用いられたが、同様にベトナムでは、二十世紀末にラテン文字が採用されるまで、チュノム〔字喃〕文字[93]が仏の教えや経典の注釈を記すのに用いられていた。

東南アジア

東南アジアの諸国では、パーリ語の大蔵経を中心として、仏典（例えばブッダの前世譚など）が各地方の言葉に翻訳されたり、注釈書が著作されたり、それらが長い間各々の国の主要な文学作品であった。たとえば、シャム語のもっとも古い作品の一つは仏教の宇宙論を記した『三界論』[94]である。二十世紀になってフランス極東学院がカンボジアでパーリ語大蔵経の出版を援助したが、それは大蔵経をクメール語に訳すことを視野に入れてのことであった。東南アジアのすべての言語におけるパーリ語、サンスクリット語起源の語彙の重要さは、仏教がそれらの文化にいかに深く浸透したかを物語っているが、時としては興味深い意味の違いが生じている。たとえば「輪廻」を意味するサムサーラという言葉（パーリ語、サンスクリット語共通）は、タイ語では「憐れみ、悲哀」を、カンボジア語では「愛」を意味する。

以上はほんの概略に過ぎず、とてもすべてを網羅したものではないが、それでも仏教がアジア各地の文化に及ぼした影響の大きさを理解するのには十分であろう。

第十二章　仏教の欧米への伝播

古代

仏教と地中海文化との出会いは、アショーカ王碑文にギリシャ語とアラム語の二言語で記されたものが存在することからして、少なくともこの王の時代〔紀元前三世紀〕に遡る。この王は西欧に使節を派遣したことが知られるが、彼らが赴いた正確な地域はわからない。

中世

十世紀のキリスト教社会におけるバルラームとヨサファットの伝説〔第四章五四頁参照〕を除けば、ヨーロッパ人とアジアの仏教徒との最初の知的出会いは、フランス王ルイ九世（聖ルイ〔在位一二二六年～一二七〇年〕）がイスラム教に対抗するための同盟を模索するためにモンゴル皇帝モンケ・カーンに派遣したフランシスコ会士ギヨーム・ド・ルブルク〔一二二〇年?～一二七〇年?〕が一二五五年に記した回想録の中に語られるものである。この中には、イスラム教徒を味方に付けた彼とチベット仏教僧との対話が記されているが、彼は、創造主たる人格神を否定する宗教〔仏教〕を発見し、畏怖の念を抱いている。

イエズス会士の報告

モンゴル時代の最初の接触は単発的に終わり、次に起こるのは十六世紀後半になってからで、それ以後は継続的に保たれることになった。その最初となったのは、スペイン人フランシスコ・ザビエル（一五〇六年～一五五二年）とイタリア人マテオ・リッチ（一五五二年～一六一〇年）である。この二人のイエズス会士は前者が一五四九年に日本に、後者が一五八三年に中国に到着した。彼らが先鞭を付け、その後多くの宣教師が極東にキリスト教を布教するために赴き、もっともキリスト教教義に対立するであろう〔その地で信奉されている宗教の〕教義を知ろうとした。当時の中国では仏教は衰退していたので、リッチは仏教にはあまり興味を示さず、彼の関心はもっぱら儒教に向けられ、彼の後継者も同じであった。しかし日本に到着した宣教師たちは、坊主──仏教僧のことを彼らはこう記している──と頻繁に論議し、日本の仏教僧たちの考えを初めて明らかにした。一方で日本人は一神教を発見して驚愕した。

この時代にはまだ仏典の西欧語への翻訳はなされなかった。イエズス会宣教師からの報告は二世紀にわたって極東の精神的、知的状況に関するほとんど唯一の情報であり、ヨーロッパでは興味を持っ

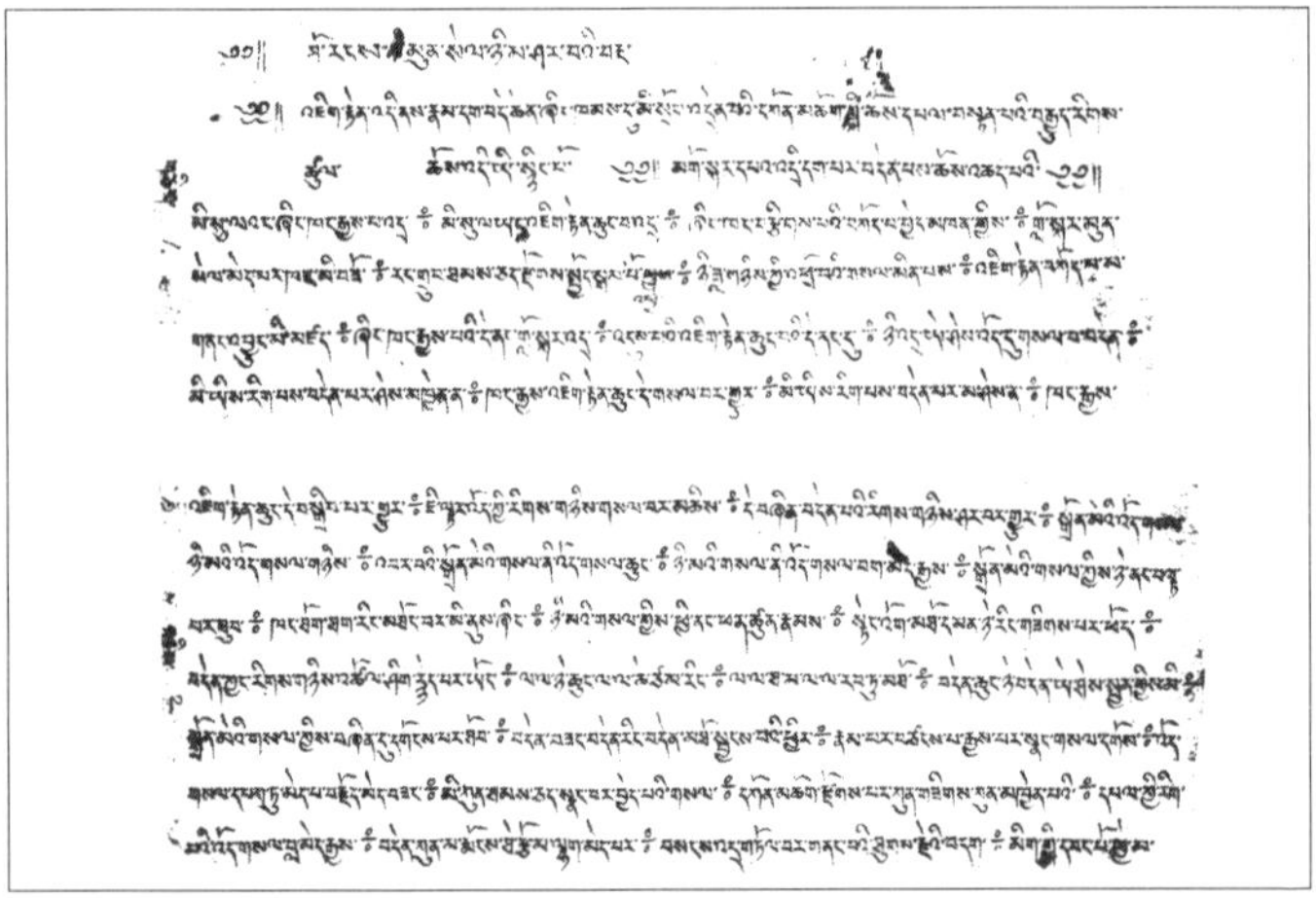

イッポリト・デジデリがチベット語で著した仏教批判書

て読まれた。しかしながら、彼らの報告は信頼できる文献に基づいてはおらず、それを読んだヨーロッパ人が描いた極東のイメージを見れば数多くの勘違いがあったことが窺える。

イッポリト・デジデリ

こうした中で、イエズス会宣教師が著した仏教に関するもっとも優れた著作が、長い間バチカンの図書館に埋没されたままだったのは残念でならない。もしこの著作が早くに紹介されていたら、ヨーロッパに決定的な影響を及ぼしていたであろう。その著者イッポリト・デジデリ（一六八四年〜一七三三年）はチベットに到ったイエズス会宣教師の一人で、一七一六年から数年間ラサに滞在し、チベット語を習得し、四冊の仏教批判書をチベット語で著作した。しかしながら書き進むに従い、仏教の理解が深まるにつれ、最初は敵視していた仏教に対して次第に融和的になっていったことが見て取れる。彼は一七二八年に手稿本を携えてイタリアに戻ったが、それらが初めて発見されたのは二十世紀になってからであった。その著作は遅まきながら出版されたが[95]、この間ヨーロッパがその恩恵を被ることができなかったのは極めて遺憾である。

アレクサンダー・チョーマ＝ド＝ケーレス

デジデリは闇に葬られたが、チベットの言語と仏教を西欧に紹介することになったのはアレクサンダー・チョーマ＝ド＝ケーレス（一七八四年〜一八四二年）である。ハンガリー民族の起源を訪ねてアジアに向かった彼は、それをヒマラヤ山脈中に見出したと思った。彼はチベットには侵入できなかったがラダックとザンスカルのチベット語圏に滞在した。ハンガリー民族の起源探究の旅を続けるべく、モンゴルへの出発準備中にベンガルで亡くなった。彼はチベット語カンギュルとテンギュル全体の最初の概要を残したが、これは仏教研究の偉大な一歩であった。

アレクサンダー・チョーマ＝ド＝ケーレス（1784–1842）

歴史・文献学的アプローチ

以上からわかるように、ヨーロッパ人が仏教教義および実践の世界を本格的に研究するようになったのは十九世紀になってからである。この未知の領域に対して、最初から二つの異なるアプローチがあった。その一つは歴史・文献学的アプローチで、これはルネサンス以来ラテン語・ギリシャ語文献研究でその有効性が証明されたもので、キリスト教の起源からの発展を辿る研究にも用いられてきたものである。この研究方法は、アジアの仏教徒がもっとも強く信奉している伝統を徹底的に再検討することで成果が挙がるという前提に立ったものである。しかし、ヨーロッパのキリスト教会がこうした研究方法によって自らの権威が疑問視されると感じたように、これを侮辱的と受け止めた仏教徒がいたことも確かである。

哲学的アプローチ

もう一つのアプローチは、哲学的なものであるが、これはますます秘教主義的傾向に偏っていった。ここからはさまざまな動きが生まれ、中にはかなりな成功を収めたものもあり、アジア仏教に影響を与えたものもあった。ヨーロッパにおいて仏教教団が徐々に形成されるようになったのは二十世紀後半になってからで、政治的変動の結果アジアから仏教僧が直接教えを伝えに来たことに由来する。

ヨーロッパの仏教研究史

学術研究が発展したのはインドおよび極東で組織的に仏典が収集されたおかげである。特筆すべきは、大乗仏教の主要経典のいくつかのサンスクリット語完本がネパールで発見されたことで、それに基づいてウジェーヌ・ビュルヌフ（一八〇一年～一八五二年）は一八四四年に『インド仏教史序論』を著し、続いて一八五二年には『法華経』をフランス語訳した。今日では当たり前となっている参考文献や辞書などがなかった時代にこの業績を残したことは賞賛に値する。何よりも、彼は仏教研究はただ一つの言語で書かれた文献だけでは行えず、常にその多言語への翻訳文献も考慮に入れるべきであるという方法論のモデルを打ち立てた。サンスクリット語、チベット語、中国語の三ヵ国語を駆使する方法は、シルヴァン・レヴィ（一八六三年～一九三五年）、ルイ・ドゥ・ラ・ヴァレ＝プサン（一八六九年～一九三八年）、エティエンヌ・ラモット（一九〇三年～一九八三年）、アンドレ・バロー（一九二一年～一九九三年）などの著名なフランス人学者によって継承された。追記に値するのは、瞠目する業績を残したイタリア人学者ジュゼッペ・トゥッチ（一八九四年～一九八四年）で、そのチベット・ネパー

ビュルヌフ『インド仏教史序論』

ル旅行記は非常に興味深い。

パーリ語聖典協会

テーラワーダ仏教については、西欧の批判的方針に従ったパーリ語大蔵経の出版を主目的に一八八一年にロンドンに設立されたパーリ語聖典協会（Pali Text Society = PTS）が仏教研究の担い手となった。協会の事業は最初はすべてヨーロッパ人によってなされたが、次第にアジア人学者も加わることになった。パーリ語テクストの出版にラテン文字が用いられたのは逆説的であるが、それはサンスクリット語、パーリ語で書かれた三蔵（大蔵経）が信じられないほど多くの文字で書かれていたがゆえに、それに対処するためであった。ことにパーリ語テクストの場合、ある一つの文字はその国の人にしか読めないが、ラテン文字は英語の普及につれて、東南アジアの誰もが読めるようになった。逆説的であるが、ラテン文字採用の恩恵は、近代になってからのスリランカ語、シャム語、カンボジア語での三蔵の出版が、ＰＴＳ版のテクストを大いに参照していることに窺われる。パーリ語聖典協会は一九〇九年以来大蔵経に含まれるテクストの英訳を出版し始めたが、つい最近になって初めてフランス語訳も出版されるようになったことを記しておこう。

『アジアの光』

仏教に好意的なアプローチ、その見方に対する哲学的賛同、さらには単純、純粋な改宗も、同じく十九世紀に始まった。画期的だったのは詩人エドウィン・アーノルド（一八三二年〜一九〇四年）による一八七九年の『アジアの光』の出版であった。この作品は一世紀前の『オシアン』[96]に匹敵する大成功を収めた。この美辞麗句で語られたブッダの生涯は、インドでは何よりもガンディー（一八六九年〜一九四八年）という読者を得た。

神智学協会

ほぼ同じ頃の一八七五年に、神智学協会という仏教思想の普及にとてつもなく重要な運動がニューヨークで生まれた。その創設者はエレナ・ブラヴァツキー（一八三一年〜一八九一年）で、彼女はチョーマ＝ド＝ケーレスのいくつかの著作を読み、そこからアジアの伝統とはまったくかけ離れた一つの哲学・宗教体系を編み出し、それがヨーロッパ、アメリカ、さらには本部が南インドのアッドヤー[97]に移ってからはインドでも熱狂的に迎え入れられた。アニー・ベサント（一八四七年〜一九三三年）が引き継いでからは、神智学は劇的な影響力を持つようになった。その一人が多彩な人生を送ったフランス人女性アレクサンドラ・ダヴィッド＝ネール（一八六八年〜一九六九年）である。大旅行家にして、観察力があり、筆のたつ著作家であった彼女は、インド、中国、チベットにおける非凡な旅行記を残し、若い頃の秘教主義者や神智学協会の神秘主義者たちとの交流を皮肉を込めて記録している。自ら

「無師独覚」仏教徒と称した彼女は、多分に個人的な「ブッダの教え」を作り上げた。

もう一人同じ毛色の人物を挙げると、十九世紀末のデカダンスの風采をした〔フランス人〕作家モリス・マグル（一八七七年〜一九四一年）がいる。オカルト思想に惹かれた彼には『どうして私は仏教徒なのか』（一九二八年。二〇〇〇年再刊）という著作があるが、これは神智学の目を通して描かれたことにより、ヨーロッパがいかに仏教を誤解したかの総目録である。

鈴木大拙（1870–1966）

その逆の動きすなわちヨーロッパに仏教を広めるためのアジアからの伝道僧の到来は、最初はとても控えめであったが、現在ではヨーロッパとアメリカ合衆国にしっかりと根付き、各地にサンガの胎芽が生まれている。この場合も、どうしてそうなったのかの因果関係は明らかではないが、奇妙な現象が見られる。
一八九一年にはアナガリカ・ダンマパラという仏教名のセイロン人宗教指導者が大菩提協会(Maha Bodhi Society）を創立した。彼は元来クリスチャンであったが、エレナ・ブラヴァツキーと彼

弟子丸泰仙（1914–1982）。1967年、オランダにて。Ron Kroon CC0 1.0

女の助手オルコット大佐（「カーネル」）により仏教に入門した。大菩提協会は、最初は廃墟と化していた、あるいは他の宗教によって占有されていたインドの仏教遺跡の修復を目的とした。しかし次第にヨーロッパとアメリカ合衆国に進出し、小乗と大乗に分かれていた仏教を統一し、その普及を目指すようになった。

鈴木大拙

日本人鈴木貞太郎大拙（一八七〇年～一九六六年）の業績は、西欧における仏教普及に大きな影響を与えた。彼は西欧に最初に正真正銘の仏教思想を伝えたと見なされるが、彼の思想形成の複層性を考慮に入れる必要がある。十九世紀末にアメリカ合衆国に着いた彼は、最初はドイツから移住してきた宗教思想家ポール・ケーラス[98]（一八五二年～一九一九年）の下で働いた。ケーラスには一八九四年に出版された『仏陀の福音』という本があるが、これは仏教をかなり西欧化したものである。鈴木大拙は、その主要著作をこうした読者層向けに発表している。そのなかで読みやすい文体で書かれた *Essays in Zen Buddhism*（『禅仏教試論』）[99]は、それまで紹介されていなかった仏教の側面に関して豊富な情報を提供しており、大成功を収めた。紛れもなく博学であった彼は、純粋に仏教学的な研究も行っており、ことに『入楞伽経（にゅうりょうがきょう）』のサンスクリット語からの英訳[100]を発表した。しかしながら鈴木大拙は神智学協会の会員として、その活動を推進し、比較神秘学の研究も続けた。

弟子丸泰仙

フランスではあちこちに小さな仏教徒集団があるが、曹洞宗系の弟子丸泰仙（でしまるたいせん）（一九一四年～一九八二年）が始めた禅グループと、日蓮を祖と仰ぐ在家仏教運動〔創価学会〕を除けば、本格的に仏教が広まったのは移民によってである。一つは東南アジアからの移民を対象にしたベトナム人と中国人僧侶の活動があり、もう一つには中国による占領を逃れてインドに到着したチベット僧たちは、現在世界に仏教を広めるために活動している。フランスの仏教徒人口が六〇万人というのは大袈裟であろうが、ヨーロッパの各地に本当の仏教徒集団が生まれているのは確かである。

第十三章　仏教研究批判

ヨーロッパの仏教研究に対するアメリカからの批判

十九世紀以来ヨーロッパで行われてきた仏教研究は、この数年来、ことにフィリップ・C・アーモンドとドナルド・S・ロペスJr.によって、かなり強烈に批判されることになった。この批判的動きは「オリエンタリズム」という言葉を生んだエドワード・サイード[101]（一九三五年〜二〇〇三年）の批判の流れの延長線上にある。その批判は著書『オリエンタリズム』と同じく激しいが、けっして手際良いものではなく、オリエントや極東に関する歴史的、文献学的研究にはほとんど触れていない。それゆえに、その批判は〔仏教研究そのものに対してではなく〕西洋が東洋に対して抱いてきた幻想的イメージに向けられたものである。

サイードの「オリエンタリズム」

サイードの「オリエンタリズム」批判は信じ難い成功を収め、最初はアメリカ合衆国で、続いてヨーロッパ、インド、日本でも追随者が現れた。この現象を前に、我々は学術研究分野の主要メンバーの理性的能力について考えさせられるし、現在仏教に関心を持つ者はいつかこの批判潮流の亜流に直面することになるであろうから、執拗に繰り返される一方で実際には事実に基づかない二つの批判を検討することにする。

批判一――「仏教」という概念を作り上げたのはヨーロッパ

最初の批判は、シャーキャムニ・ブッダの教えを信奉するアジア人によってけっして用いられたことがない「仏教」という概念を作り上げたのはヨーロッパ人であるという主張である。この批判は、主としてチベットの例から主張されたものであるが、仏教研究がチベット仏教、中国仏教という具合に国ごとに細分化されていることの不都合さを浮き彫りにしている。チベット人は自らの宗教を指すのに、〔サンスクリット語ダルマの訳語である〕チェという言葉を用いるのは事実である。彼らは、仏教徒である自らを指すのに「ナンパ」すなわち「内部の者」という言葉を用い、非仏教徒は「チパ」すなわち「外部の者」と言う。これは、チベット人であるということは即仏教徒であるというチベット社会の一体性に由来するものである。

広大な中国と中国化された地域では、状況はまったく異なっており、仏教は社会に共在する他の信仰体系と明確に区別されていた。本来は「仏の教え」を意味する「仏教」という言葉は古代から、少なくとも八世紀から存在している。「三教」すなわち儒教、道教、仏教を対比して論じる著作は数多く存在しており、各々の宗教ははっきりと個別化されている。

このように、一つの独自の信仰体系としての「仏教」とはヨーロッパ人が考え出したものであるという主張は、中国、韓国、日本、ベトナムの仏教徒が自らをどう表現しているかという現実を無視したものである。これ以外の仏教圏でも、例えばシャム語の「プッタ・サーツァナー」という言葉は少なくとも十九世紀以後は用いられているが、それがヨーロッパあるいは中国の影響からかどうか考えてみる必要がある。

批判二——ヨーロッパ人による仏教大蔵経の学術校訂出版

よく繰り返されるもう一つの批判は、ヨーロッパが仏教大蔵経の学術校訂出版に並外れた重要性を与えることによって、仏教の保護者を自任し、テクスト継承の正統性をアジアから奪っているというものである。しかしながら、できるだけ正確な三蔵の編纂は、開祖であるシャーキャムニ・ブッダの入滅以来仏教徒が絶えず心掛けてきたことである。大蔵経の開版・刊行は、時の政権にとって仏教教団の支持をもっとも目に見える、そして即座にわかる形での表明であったし、当然のこととして同時に国家繁栄のための功徳を積むことであった。大蔵経は仏教と同質、同義であり、それを無視するように振る舞うことは、仏教徒がそれに与える重要性を軽視することである。チベット仏教圏における例としては、カンギュルとテンギュル建立に大きな業績を残したプトン（一二九〇年〜一三六四年）は今でも尊敬されている。

ここでも中国での歴史的経緯を見てみれば、このことはおのずとわかる。大蔵経の威厳は実に大きく、その建立は仏教の興隆と密接に結びついていた。それゆえにその対抗宗教である道教も、自らの正統性を打ち立てるために、仏教徒の大蔵経に匹敵する道蔵を整備した。その結果数世紀にわたって、文字通り大蔵経競争が繰り広げられた。これは近代に限ったことではなく、現在中国では儒教大蔵経整備の計画があり、仏教・道教に儒教が加わり三つ巴の競争となる様相を呈している。

英訳大蔵経

最後に付記したいのは、二十世紀後半になって日本の公益財団法人[102]が「英訳大蔵経」の名の下で、中国語大蔵経の主要典籍を英訳するという事業を開始したことである。この事業が完結すれば新たに英語大蔵経が成立することになり、英語が西欧仏教の最初の言葉となることになる。

こうして、ヨーロッパにおける仏教研究批判の二つめがいかに事実に反したものであり、取るに足りないかがわかる。

仏教への二つのアプローチ[103]

では、仏教研究に従事したい場合、どうしたらいいのだろうか。もちろんその動機を考慮する必要がある。それは二つに分けられ、一つは知性的なものであり、もう一つは宗教的なものである。

①ユマニスト的アプローチ

最初のアプローチはユマニスト的であり、一言で言えば、わたしたちが推奨するものである。それは知的冒険であり、宗教史、哲学史、さらには人類学という枠の中で行うことができる。いずれの場合でも、このアプローチには言語の習得が基礎となる。

まずは参考文献を通覧したうえで、自分の入り口を選択しなければならない。サンスクリット語の習得は格別に得るところが大きく、古代インド思想および文学の世界に入ることができる。パーリ語も同じである。チベット語は、仏教世界に限られるとは言え、膨大な文献の宝庫の発見につながる魅力的なものである。中国語は、サンスクリット語に劣らず興味深いもので、仏教遺産を残す日本への門戸を開く。こうした言語の習得は生半可ではだめだが、同時に時間を無駄にしないようにしなければならない。もし仏教に対する考えが変わったとしても〔＝仏教研究をやめたとしても〕、言語の習得から得たものは確実なもので、他の分野の研究に入ることができるだろう。

②宗教的アプローチ

次に宗教的アプローチ、すなわち仏教を実践したい人には、何よりも堅固な伝統に基づいた教団と接触することをお勧めしたい。フランスには、ベトナム、チベット、さらにはラオス、カンボジア系の教団がいくつもあり、外部の者を受け入れている。この場合でも、教えを本当に理解するのには言語の習得が必要であることは言うまでもない。しかし、タイ、日本、韓国、中国などの仏教が主流となっている文化圏に長期にわたって滞在することに過ぎるものはない。

いかなる場合でも、それまで自分が馴染み親しんできた世界とは違った考え方、異なる生き方を発見する「異国経験」をすることは有意義である。次の日本の和歌が、それをよく伝えている。

あだの花に　心をしめて　ながむれば　仏の宿に　伴(とも)の御奴(みやつこ)[104]

注

・5と11は原著者による注。
・〔原著本文中：〕とある項目（26、74、78）は、原著では本文中に括弧内に記してある。
・右以外の注は、訳者による訳注。

1　フランス語原題 *Petite histoire du bouddhisme: Religion, cultures et identités.* は直訳すると『仏教小史——宗教、文化、アイデンティティ』であるが、内容を考慮して改めた。

2　ユダヤ教、キリスト教、イスラム教を指す。リブリオ叢書にはすでにこの三宗教に関する「小史」が収録されている（843、844、858）。

3　一九四一年生まれ。脱宗教性（ライシテ）の専門家として知られ、フランス共和国大統領フランソワ・ミッテラン（一九一六年〜一九九六年。一九八一年から一九九五年まで二期にわたって就任）の「筆（代筆者）」であった。『フランスにおける脱宗教性（ライシテ）の歴史』（三浦信孝・伊達聖伸訳、白水社文庫クセジュ、二〇〇九年）をはじめ、数点の邦訳がある。

4　洛陽（河南省）近くにある寺で、禅宗の開祖達磨が面壁したと伝えられる。山号は嵩山（すうざん）。近年になって、少林拳、映画『少林サッカー』などで有名になっている。

5　原注：英語原題は *Childhood's End.* 〔福島正実による邦訳はハヤカワ文庫SF 341（一九七九年）に収録されている〕

6　訳者の質問に対して著者は、「こうした巡礼を実際に目撃したから、こう記した」と述べている。しかしこれは極めて特殊な事例である。

7　アレクサンドラ・ダヴィッド＝ネール（一八六八年〜一九六九年）はフランス人女性探検家で、数多くの著作によってチベット仏教を欧米に広めることに大きく貢献した。しかし著者は、彼女の「チベット仏教」は多分に自分よがりの神智学協会的なものであり、本当のチベット仏教とは大きな隔たりのある、偏ったものである点に注意する必要があることを指摘している。彼女のことは、第十二章で改めて取り上げられる。

8　ユダヤ教の聖書（タナハ）は三部に分けられるが、

その最初の部分を指す。キリスト教聖書では旧約聖書の最初のモーセ五書（創世記、出エジプト記、レビ記、民数記、申命記）に該当する。律法とも呼ばれる。

9 玄奘訳『般若波羅蜜多心経』（一般には『般若心経』として知られる。大正新脩大蔵経二五一番）を指す。この経典の（経題を除いた）本文は二六〇字である。

10 一九五〇年にスリランカで設立され、現在タイに本部がある世界仏教徒連盟（The World Fellowship of Buddhists）も、全仏教を代表するものではない。

11 原注：それに続いて、該当する場合には、インド仏教のもう一つの主要言語であるパーリ語を記すことにする。パーリ語はサンスクリット語とそれほどかけ離れておらず、類似形を想定することは難しくない。例えば、「法」はサンスクリット語では「ダルマ（dharma）」であり、パーリ語では「ダンマ（dhamma）」、同様に「涅槃」は「ニルヴァーナ（nirvāṇa）」／「ニッバーナ（nibbāna）」、「般若」は「プラジュニャー（prajñā）」／「パンニャー（paññā）」といった具合である。〔以下、ローマ字表記はすべて索引に移し、本文中には記さない〕

12 現在最も信憑性が高いのは紀元前四八五年頃生、紀元前四〇五年頃没とするリチャード・ゴンブリッチ（一九三七年生）の説である。いずれの伝承にせよ、ブッダが八十歳で亡くなったという点は一致している。

13 ボーディサットヴァ（菩薩）は、初期仏教においては「目覚めが約束された者」という意味で、目覚め以前のシャーキャムニ、およびその前生（ぜんしょう）を指した。しかし後世の大乗仏教になると、すべての人に開かれ、「目覚めを目指して修行する者」という意味に変容した。この変容は、仏教をいわゆる小乗仏教、大乗仏教に二分するもので、詳しくは第六章参照。

14 バラモン教（後のヒンドゥー教）の三大神の一つで、漢訳仏典では梵天。

15 ヴァーラーナシーは、現在のヴァラナシ（ヒンディー語名ではベナレス）。鹿野苑はその北東郊外にあるサールナートに位置している。

16 フランス語ではloi（英語ではlaw）。フランス語のloiは一般的には「法律」を意味するが、la loi de la gravitation universelle「万有引力の法則」、la Loi

ancienne「(旧約の）律法」、la Loi nouvelle「(新約の）福音」などにも用いられ、サンスクリット語dharma（パーリ語dhamma）の訳語としては最も相応しい言葉であるというのが著者の見解である。しかし、キリスト教の「律法」「福音」を指す言葉として伝統的に用いられてきた言葉であることから、それを嫌ってdharmaというサンスクリット語を訳さずに、そのままで用いる欧米の研究者もいる。また別の理由から、dharmaを用いることを選択する著者もいる。たとえば、英語圏で広く読まれている*Buddhism without Beliefs: A Contemporary Guide to Awakening*（『信仰なき仏教、目覚めへの現代的手引き』一九九七年）（邦訳『ダルマの実践――現代人のための目覚めと自由への指針』藤田一照訳、四季社、二〇〇二年）の著者S・バチェラーは、サンスクリット語・パーリ語を一切用いず、平易な言葉で仏教概説を試みたが、唯一dharmaだけはその意味の広範さゆえに、英語の一つの言葉を当てることは不可能なので、そのまま残さざるを得なかったと述べている。

17　いわゆる四苦八苦の中から「怨憎会苦（怨み憎む者に出会う苦しみ）」と「求不得苦（求める物が得られない苦しみ）」の二つを挙げている。

18　漢訳仏教用語では戒定慧の三学と呼ばれる。

19　バラモン教の「梵我一如」という考え。

20　漢訳仏典では、「諸法因縁生　是法説因縁　是法因縁尽　是大沙門説」の四句で、「法身偈」、「縁起偈」、「縁生偈」、「縁起法頌」として知られている。

21　日本ではあまり聞きなれない言葉であるが、ヨーロッパ人は当初からこの名前で仏塔を呼び習わしてきた。語源はわからないが、中国文化圏では仏塔は八角形のものが多く「八角塔（拼音表記ではbā jiāo tǎ）」が訛って伝えられたのではないかと考えられる。

22　漢訳仏教用語の「比丘」は、この音写。

23　漢訳仏典では、「諸悪莫作、諸善奉行、自浄其意、是諸仏教」（「諸善奉行」は、「衆善奉行」の場合もある）。これは、釈迦牟尼仏を含む今までに出現した七仏がすべて共通して説いた教えということで「七仏通誡偈」と呼ばれる。『日本書紀』にはこのうち最初の二行（句）が太子の遺言として記されている。

24 漢訳仏教用語の「比丘尼」は、この音写。後には「尼」一字に略され、「あま」と読んで、女性出家者を指すようになった。

25 邦訳は、『尼僧の告白――テーリーガーター』（中村元訳）岩波文庫、一九八二年。

26 原著本文中：現在のインドでも寡婦が置かれた痛ましい境遇はよく知られている。

27 漢訳仏教用語の布薩で、サンスクリット語ウパヴァサタ、パーリ語ウポーサタの音写。毎月の八日、十四日、十五日（満月）、二十三日、二十九日、三十日（新月）の六日（六斎日）に、信者が寺に参り、説法を聞き、八斎戒（五戒に衣食住に関する節制三つを加えたもの）を守る習わし。

28 漢訳仏教用語の「（阿）羅漢」は、この音写。

29 「ブッダの教えを聴く者」。初期仏教の仏弟子を指すが、後世になると、伝統的、保守的な仏教徒を意味するようになり、批判、反発を招き、そこから仏教に新たな潮流が生まれるようになった。

30 三世紀にペルシャに生まれたマニを開祖とし、ゾロアスター教、キリスト教、仏教などの流れを汲む諸宗混淆的な宗教で、西はローマ帝国、東は中国までユーラシア大陸一帯に広まったが、現在ではほぼ消滅した。

31 前二世紀〜後二世紀のユダヤ教教派の一つで、修道院と同じような禁欲的生活を信条とした。

32 十世紀にギリシア語で書かれた『バルラームとヨアサフ』という聖人伝的小説の中のヨアサフ＝ヨサファットはブッダと同定された。ヨサファットは一五八三年『ローマ殉教録』に加えられ、キリスト教暦十一月二十七日の守護聖人として「聖バルラームと聖ヨサファット」が数えられている。ちなみに聖人伝説『バルラームとヨアサフ』は『聖ばるらあんと聖じょざはつの御作業』と題して一五九一年（天正十九年）に和訳印刷されている。

33 著者はブッダの目覚めを三十歳とする説に基づいて述べている。しかし三十五歳とする説の方が一般的であり、この場合には四十五年間となる。

34 マウリヤ朝第三代の王で、在位期間は紀元前二六八年頃から紀元前二三二年頃まで。

35 原語ではサンギーティで、「共同の読誦」を意味する。漢訳仏典では、結集と訳される。キリスト教の公会議に相当するであろう。アショーカ王の時代に行われたのが、第三回である。

36 インドのラージャスターン州の州都ジャイプールの北方五十キロメートル程に位置するビラットナガー(Viratnagar)。古名はBairat)で発見され、ベンガル・アジア協会に保管された。現在はコルカタのインド博物館に所蔵されている。バブル(Bhabru)法勅とも称される。

37 トリ(ティ)は「三」、ピタカは、「籠、入れ物」を意味する。中国訳では「三蔵」が一般的である。

38 漢訳仏典では「如是我聞(にょぜがもん)」。

39 チベット大蔵経にはいくつかの版があり、各部の巻数は版によって異なる。

40 太祖の年号の一つである開宝から、開宝版大蔵経、蜀地方で造営されたために、蜀版大蔵経などと称される。

41 大韓民国南部の慶尚南道に位置する。

42 版木が八万一二五八枚あることから高麗八万大蔵経と称される。高麗では十一世紀に大蔵経が開版され、これを初雕(しょちょう)大蔵経と呼び、それが焼失してから、十三世紀になって新たに開版されたが故に再雕(さいちょう)大蔵経と呼ばれる。

43 一八〇八年〜一八七八年。在位:一八五三年〜一八七八年。

44 一般に第五回結集とされる。パーリ語大蔵経を用いるテーラワーダ仏教に特有のもので、中国、日本、チベット仏教には関係がない。

45 ミャンマー中央部の旧都マンダレーに位置する。

46 北京市西南部の房山区に位置する。

47 中国では大乗仏教が主流となり、パーリ語三蔵の経典は阿含(あごん)(パーリ語「アーガマ」の音写)と呼ばれ、低い評価しか受けてこなかった。

48 漢訳仏典では「般若」と音写される。

49 自分が積み上げた功徳を、死者も含めて他の人のためにさし向けること。

50 漢訳仏典では「波羅蜜(はらみつ)」と音写される。「完成した」という意味。

51 原文は「一切有為法　如夢幻泡影　如露亦如電　應作如是観」。

52 種子曼荼羅(しゅじまんだら)と称される。

53 古名は疏勒(そろく)。現在の中華人民共和国新疆ウイグル自治区喀什市。

54 古名は亀茲(きじ)。現在の中華人民共和国新疆ウイグル自治区庫車市。

55 クチャの西方数十キロメートルに位置し、二十世紀初頭にドイツの探検隊によって発見された石窟群(克孜爾石窟)で知られる。

56 古名は于闐。現在の中華人民共和国新疆ウイグル自治区和田市。地名としてはホータンが一般的であるが、言語名はコータン語と記されることが多い。

57 鄯善の名でも知られる。タクラマカン砂漠の北東部のロプノール(「さまよえる湖」)の西岸に位置した都市。四世紀にロプノールが干上がるとともに衰退し、消滅した。二十世紀初頭にスウェーデンの探検家ヘディンによってその遺跡が発見され脚光を浴びた。

58 古名は高昌。現在の中華人民共和国新疆ウイグル自治区吐魯番市。高昌故城、ベゼクリク千仏洞などの遺跡で知られる。

59 生没年は確定されていないが、一説には一〇〇五(／八)年〜一一〇二年。歴史上最古のアラビア語・テュルク語の辞典『テュルク諸語集成』を著した学者で、ユネスコは二〇〇八年を彼の事跡を記念する国際年に制定している。

60 Robert Dankoff and James Kelly, *Mahmūd al-Kāšγarī, Compendium of the Turkic Dialects, Sources of Oriental Languages and Literatures*, 7, part I. Harvard University, 1982, p. 270.

61 迦葉摩騰と竺法蘭。

62 中国資料では、仏図澄は永和四年十二月八日に没したと月日まで詳細に記録されている。これを厳密に西暦に対応させると紀元後三四九年一月十三日となる。中国暦・日本暦の一年と西暦の一年の間には、一〜二ヵ月のズレがある。それゆえに中国暦・日本暦のある年の一年は、西暦ではそれに該当する年から翌年に必然的に跨り、両者の暦の一年全体が完全に一致するということは絶対にない。しかし従来は月日までは考慮に入れず(ことに古い時代のことになると月日まではわからない場合が多いので)、中国暦・日本暦の一年全体を、十二ヵ月のうちの十ないし十一ヵ月が含まれる部分に該当する西暦年、例えば永和四年であれば西暦三四八年に対応させるのが通例であった。著者もそれに従って、仏図澄の没年を三四八年としている。しかし、最近の研究、辞書などでは、三四九年一月十三日と記すものもある。この一年の違いは、以上に説明した中国暦・日本暦の一年と西暦の一年との間にあるズレに由来する。

63 これに対して、彼以前の訳は「旧訳（くやく）」と称されるようになった。

64 「色即是空、空即是色」あるいは「生死即涅槃」などを指す。

65 生年未詳、六四九年もしくは六五〇年没。

66 七四二年〜七九七年。在位七五五年〜七九七年。

67 原著には「首都」とあるが、当時のチベット（吐蕃）帝国の中心地はサムエーの対岸のヤルルン谷であり、ラサは一地方に過ぎなかった。

68 唐の武宗による会昌五年（八四五年）の仏教弾圧を指す。日本人留学僧円仁はこれに遭遇し、『入唐求法巡礼行記』はその様子を記した貴重な証言である。

69 彼の生没年は確定しておらず、一〇二八年〜一一一一年、一〇五二年〜一一三五年とする説もある。

70 ツァン（西チベット）の中心地シガツェにある寺院で、後にパンチェン・ラマが住持となる。

71 ツァンの西端でネパールに接する。

72 モンゴル人による征服王朝である元朝（一二七一年〜一三六八年）の初代皇帝世祖（せいそ）。

73 邦訳『サキャ格言集』（今枝由郎訳）岩波文庫　二〇〇二年。

74 原著本文中：「清廉派」。ヨーロッパでは長い間、ニンマ派を「紅帽派」と称するのに対して、「黄帽派」の名前で知られた。

75 ダライ・ラマはモンゴル語とチベット語の合成語。ダライはモンゴル語で「大海」を、ラマはチベット語で「師」を意味する。それゆえにこの称号は、ソナム・ギャツォのギャツォだけをモンゴル語に訳したものにチベット語のラマを付けたものである。

76 現在はモンゴル国。

77 現在は中華人民共和国の内モンゴル自治区。

78 原著本文中：チベット仏教を指す「ラマ教」という名称は、ヨーロッパ人の造語であると思われているが、実は清朝中国で用られた「喇嘛教」が最初である。

79 中国語「熱河（拼音（ピンイン）表記 Rè hé）」が訛って欧米に伝えられたもの。

80 原著の出版年は二〇〇八年であり、執筆時期を考えると、一九八〇年代中頃となる。

81　この用語は現在ではスリランカをはじめとする東南アジア系仏教全般を指す。しかしあくまで十九世紀になって用いられ始めた「自称」であると主張する研究者もいる。

82　現在でも雲南省にはタイ族が住む広い地域がある。

83　原著には生没年が一二七七〜一三一七とあるが、訂正した。

84　古代チャンパ王国を築いた民族は、遠くはインドネシアからインドシナ半島に移り住んだと考えられている。その子孫が話すチャム語が、マレー語とジャワ語に関連していることがその名残である。

85　彼の著書の中では、『ブッダとそのダンマ』（山際素男訳、三一書房、一九八七年。増訂版、光文社新書、二〇〇四年）、『カーストの絶滅』（山崎元一・吉村玲子訳、明石書店、一九九四年）の邦訳がある。

86　『解深密経疏』などの著作で知られる。

87　著者による詳しい研究がある。*Quatre courts traités sur la Terrasse Céleste*. Paris: Fayard, 2007.

88　具足戒と呼ばれ男性出家者には二五〇戒、女性出家者には三四八戒ある。これらをすべて遵守する比丘、比丘尼が、仏教教団（僧伽、サンガ）の正式構成員である。

89　三論宗、成実宗（じょうじつしゅう）、法相宗（ほっそうしゅう）、倶舎宗（くしゃしゅう）、華厳宗、律宗。

90　本来は小乗戒である「具足戒」を受けたうえで、さらに大乗の菩薩であろうとする者が守るべき戒であったが、この「菩薩戒」だけで正式の比丘（菩薩比丘）になれるという主張は最澄独自のものである。以後日本仏教では、具足戒の伝承は廃れ、仏教本来の比丘・比丘尼で構成される僧伽は存在しなくなったと言える。

91　六三四年生〜七〇一年没と伝えられる。

92　ゾンカ語のこと。

93　漢字を組み合わせ、ベトナム語の発音を表記できるようにした独自の文字。

94　原題は、*Traibhūmi Braḥ R'van*。

95　*Opere Tibetane di Ippolito Desideri S.J.* (4 vol.) Edited by Giuseppe Toscano. Roma: IsMEO, 1981-1989.

96　ジェイムス・マクファーソン（一七三六年〜一七九六年）が、古代の盲目の詩人オシアンの英雄フィンガルにまつわる詩作を発見したと称し、その「翻訳」だとする英語の散文作品を一七六一年から段階的に発表したが、一七九五年に出版されたその集成版（原題：*The Poems of Ossian*）。

97 タミル・ナードゥ州の北部、ベンガル湾に面するチェンナイの一区画。

98 彼は哲学、科学、宗教のフォーラムを目的としたオープン・コート・パブリッシングという協会の機関紙の初代主筆であった。彼には、*Karma: A Story of Buddhist Ethics*（『カルマ：仏教倫理説話集』一八九四年）という八編の仏教説話を収録した本があり、その中の五編を鈴木大拙が『因果の小車』（一八九八年）と題して翻訳している。この中の一編「蜘蛛の糸（The Spider-Web）」が芥川龍之介の同名作品の基になったと考えられている。鈴木大拙は、英語に堪能な若者を派遣してほしいという彼からの要請を受けた釈宗演（一八六〇年～一九一九年）の推薦で、彼の助手として渡米し、主に翻訳に従事した。

99 一九二七年、一九三三年、一九三四年にロンドンのLuzac社から三分冊（series）で出版された。その後何回も再版されたが、日本語には訳されていない。その後鈴木大拙は英文、邦文で、禅に関して実に多くの著作を残した。一九三四年に京都で刊行された*An Introduction to Zen Buddhism*（邦訳『禅仏教入門』（増原良彦訳、学生だったひろさちやが訳したものの校訂版）春秋社、一九七五年）、一九三五年に出版された*Manuel of Zen Buddhism*（『禅仏教の手引き』邦訳なし）とは別物。

100 *Studies in the Lankavatara Sutra*. London: Routledge and Kegan Paul, 1930.

101 パレスチナ系アメリカ人。主著『オリエンタリズム』（一九七八年刊。今沢紀子による邦訳は一九八六年に平凡社から刊行されている。一九九三年に「平凡社ライブラリー」に収録された）。彼は、西洋において長い間培われた中東を含むアジアへの誤った幻想的イメージが、植民地主義・帝国主義を正当化する遠因であると主張した。

102 沼田惠範（一八九七年～一九九四年）が一九六五年に設立した仏教伝道協会。

103 この項目は、フランス人である著者が、フランス人向けに述べたことで、必ずしも日本人読者には当て

104

はまらない。

慈円詠、尊円親王編纂『拾玉集(しゅうぎょくしゅう)』より(久保田淳監修『拾玉集』(上)、明治書院、二〇〇八年、和歌文学大系58、2439番)。フランス語訳から直訳すると「この儚い花は、注意深く眺めてみると、仏国土で御仏にお仕えする私のようである」となる。自分という境遇を、単に儚いものと見なすのか、あるいは御仏に仕える幸せなものと見なすのか、それは自分の見方次第である、という解釈であろう。

仏教の歴史　略年表

紀元前六〜四世紀

・ゴータマ・シッダールタ、すなわちシャーキャムニの地上における出現。ブッダの歴史的存在は全仏教圏で認められている。現研究段階では、その正確な年代は特定できない。

前四〜三世紀

・仏教教団の成立。最初の結集による大蔵経の認定（伝統的に前三八三年とされる。それに続く結集は前二八三年か）。
・仏教サンガの最初の分裂とさまざまな部派の出現。
・アレクサンダー大王（前三二三年没）の東方遠征によるギリシャ文明とインド文明の接触。

前三世紀

・仏教伝播に貢献したアショーカ王の治世（前二七二／二六八年〜二三二年）。
・最初のストゥーパ（聖遺物記念碑）の建立。
・おそらく口頭伝承されていた仏教テクストに関する明白な証言。
・アショーカ王によるパータリプトラでの第三回結集開催（前二五〇年頃）
・伝承によれば、同じ頃マヒンダ（マヘーンドラ）により仏教がセイロン（スリランカ）に伝えられた。

前二世紀

・ヘレニズム系王朝の国王ミリンダ王（メナンドロス一世）と仏教僧ナーガセーナとの対話が『ミリンダ・パンハ（ミリンダ王の問い）』（前一六〇年頃）に記録されている。

前一世紀

・前三五年～三二年、セイロン（スリランカ）でパーリ語大蔵経が書写される（A・バロー説）。

紀元後一～二世紀

・大乗仏教の誕生。大乗経典の成立：（推定される年代順に）『般若経』類、『法華経』、『華厳経』、『維摩経』、『浄土経』類。

・アシュヴァゴーシャ〔馬鳴（めみょう）〕によるサンスクリット語詩文集。

・中央アジアを経由して仏教が中国に伝来（伝統的に六七年のこととされる）。

二世紀

・一四八年、パルティア〔安息〕人安世高（あんせいこう）が洛陽に到着し、訳経に従事する。

二～三世紀

・南インド出身の仏教大思想家ナーガールジュナ〔龍樹〕の活躍。彼の著作（『中論』『大智度論』。実際に彼の著作かどうかは問題とされている）はチベット、中国仏教に大きな影響を及ぼした。彼の著作は弟子のアールヤデーヴァ〔聖提婆〕によって継承される。

・中国では経典翻訳が盛んとなる（支謙、二二〇年頃～二五〇年頃。竺法護、二三九年～三一六年）。

四世紀

・アサンガ〔無着〕（三一〇年～三九〇年頃）が瑜伽行派、あるいは唯識派を打ち立てる。その弟ヴァスバンドゥ〔世親〕（三三〇年～四四〇年頃）は大乗に対して『アビダルマコーシャ〔阿毘達磨倶舎論〕』を著す。しかし兄の影響で最終的には大乗に改宗し、後世極東でもっとも大きな影響を及ぼす著作を残す。ナーガールジュナの中観派とヴァスバンドゥの唯識派がチベット、中国における二大潮流となる。

・クチャ出身の仏図澄（二三二年～三四八年）が世俗勢力の支援を受けて北中国に仏教を広める。弟子の一人道安（三一二年～三八五年）は漢訳経典目録〔『綜理衆経目録』〕を編纂し、以後の教学の原則を打ち立て、教団を統制した。

・道安の弟子慧遠（三三四年～四一六年）が浄土信仰を広めるとともに、世俗権力に対する教団権力の優位を説く。

・鳩摩羅什（三四四年～四一三年）が後世に決定的な影響を及ぼす主要経典および龍樹の『大智度論』を訳出する。

五世紀

・スリランカ（セイロン）のマハーヴィハーラ僧院のブッダゴーサ〔仏音〕が『清浄道論』を著し、三蔵を注釈し、パーリ語大蔵経の最終的成立に貢献する。

・四四〇年頃、ガンジス川流域の現在のパトナの南にナーランダー僧院（時として「大学」と呼ばれる）が創設される。

・ディグナーガ〔陳那〕が仏教論理学に新たな息吹を与える。ダルマキールティ〔法称〕（七世紀）がさらに発展させる。

・三九九年〜四一四年、法顕がインドを訪れ、『仏国記』を著す。

・道教の名の下、中国における最初の廃仏（四四六年〜四五二年）。

六世紀

・五二〇年頃、半ば伝説上の僧侶ボーディダルマ〔菩提達磨〕（ただ単にダルマ〔達磨〕とも）がインドから海路中国に着き、洛陽近くの少林寺で瞑想を実践し、梁の武帝と見えたと伝えられる。禅宗の開祖と崇められる。

・五七四年、北中国での二度目の廃仏、今度は道教も対象。

・純中国仏教の開花：智顗（五三八年〜五九七年）は、師である慧思（五一五年〜五七七年）の教えを整備し、天台宗を創設する。

・五三八年（もしくは五五二年）、百済の聖明王が日本の欽明天皇に仏像と経論を進呈する。これが日本列島への仏教公伝とされる。

七世紀

・聖徳太子（五七四年〜六二二年）、高句麗僧の慧慈らの教えを受け、日本における仏教の発展を促進する。

・六三二年（?）、伝説によれば、ソンツェン・ガンポ王によってインドに派遣された大臣トンミ・サンボータが文字と文法学を持ち帰り、チベットに仏教が伝来する。実際に仏教が定着するのは一世紀後であろう。

・中国では、玄奘（六〇二年〜六六四年）がインド旅行から戻り、『大般若経』などの「新訳」を始め、法相宗の礎を築く。
・法蔵（六四三年〜七一二年）が（『華厳経』に依拠する）華厳宗を興し、則天武后（統治：六九〇年〜七〇五年）の庇護を受ける。

八世紀

・チベットにおける仏教の最初の興隆：サムエー寺院の建立、インド人大学僧（シャーンタラクシタ〔寂護〕、カマラシーラ〔蓮華戒〕、（後世の伝説では）パドマサンバヴァ〔蓮華生〕）の到来。仏教の「前伝期」、この時期の伝統はニンマ〔古〕派に受け継がれている。
・中国に密教が伝わる。
・天台六祖湛然（たんねん）（七一一年〜七八二年）は、植物、鉱物にも仏性があるとする説を展開し、この説はことに日本で流行する。
・日本では奈良仏教の興隆：興福寺、東大寺、法隆寺の創建あるいは修復。華厳宗、法相宗などが創設される。

九世紀

・ジャワ仏教の最盛期を象徴するボロブドゥール大寺院（建設は八世紀に開始）の完成。
・チベットでは、仏典翻訳の規範となるサンスクリット語‐チベット語大辞典『マハーヴユットパッティ〔『翻訳名義大集（ほんやくみょうぎたいしゅう）』〕』が編纂される。
・チベット王ランダルマによる廃仏で、仏教がほぼ消滅する。「前伝期」の終わり。
・日本では最澄による天台宗と空海による真言宗の二宗派が中国から新たに伝えられる。新しい都である平安京（京都）の奈良の大寺からの独立を象徴する。
・中国僧宗密が『原人論』の中で、儒教、道教に対する仏教の優位性を説く。彼以前に日本僧空海は『三教指帰』の中で同じ問題を論じている。
・八四五年、中国で第三回となる廃仏。この時はキリスト教、イスラム教、マニ教などと並んで、外来宗教の弾圧。この時期中国に滞在した日本僧円仁は〔『入唐求法巡礼行記』に〕目撃情報を残している。
・黄檗希運とその弟子臨済義玄が慧能の伝統を継ぎ、禅の形を整備し、この形が後に日本に伝わる。

十世紀

・九五五年、中国における四回の廃仏の最後。
・天台宗の僧侶源信が浄土に関する教義集〔『往生要集』〕を編纂し、日本仏教に大きな影響を及ぼす。

十一世紀

・インド僧アティーシャがチベット仏教を復興し、「後伝期」始まる。
・一〇五二年、日本では「末法」の始まりとされる。衆生は仏の教えを理解、実践することができず、阿弥陀仏の慈悲に救いを求める他なくなる。

十二世紀

・一一二五年、禅の教義集『碧巌録』成立。
・ビルマのパガン王国が仏教に改宗し、シュエダゴン・パゴダが建立される。
・一一九七年、イスラム教徒の侵入によりナーランダー寺院が破壊され、一二〇三年には、もう一つの主要仏教僧院ヴィクラマシーラ（八〇〇年頃創建）も破壊される。

十三世紀

・モンゴル人が中国に侵攻し元朝（一二七一年～一三六八年）を打ち立て、チベット系密教を課す。
・一二五一年、高麗王朝が木版大蔵経〔再雕大蔵経〕を完成（初版〔初雕大蔵経〕は一二三二年にモンゴル人により破壊された）。近代の大蔵経諸版の基となる。
・日本では鎌倉仏教が興隆：道元、親鸞、日蓮。と同時に古くからの宗派が再興：華厳宗の明恵、凝然。
・シャムがテーラワーダに改宗。

十四世紀

・テーラワーダがカンボジアとラオスに広まる。
・一三二二年、チベットの大学僧プトンが『仏教史』を著す。
・明朝（一三六八年～一六四四年）は反仏教的で、儒教・道教・仏教の混淆を促進し、仏教はその中に融合される。
・朝鮮〔李朝〕（一三九二年～一九一〇年）は仏教に対して儒教を優遇する。
・日本では、京都と鎌倉で「五山」の禅宗が栄える。

十五世紀

・チベットで、ツォンカパが改革派であるゲルク派の優位を確立する。一四〇九年にガンデン寺が創建される。

・蓮如が浄土真宗を中興し、一方で一休が禅を広める。

十六世紀

・一五七八年、ソナム・ギャツォがモンゴルの君主アルタン・ハーンからダライ・ラマの称号を授かる。ダライ・ラマの系譜はこの時から始まり、実際には彼は初代であるが、現在では第三世と数えられる。

・一五四九年、フランシスコ・ザビエル日本に到着。織田信長が仏教勢力を弾圧する（一五七一年比叡山延暦寺の焼き討ち）一方で、キリスト教はしばらくの間繁栄。

十七世紀

・ダライ・ラマ五世が権力掌握。一六四五年にポタラ宮の建設が始まり、一六九五年に完成。

・満洲人が中国を制覇（清朝）し、中国人僧が日本に渡り、禅の復興に繋がる（〔中国臨済宗の開祖〕臨済〔義玄（?～八六七）〕の師〔黄檗奇運（?～八五〇）〕の名前に由来する黄檗宗の〔隠元隆琦（一五九二～一六七三）による〕創設）。

・一六六四年、江戸幕府は戸籍を仏教寺院に紐付けすること〔宗門改〕により、仏教を公式宗教とする。

十八世紀

・一七二五年、北京の雍和宮がチベット仏教寺院となり、次第にチベット・モンゴル文化の一大中心地となる。

十九世紀

・一八五二年、ウジェーヌ・ビュルヌフにより『法華経』サンスクリット原典のフランス語訳が出版される。
・一八六八年〜一八七三年、日本では明治政府の神道国教化を目指した反仏教運動が猛威を振るい、これが仏教の近代化を促すことになった。
・中国では虚雲などの活動により仏教が覚醒する。
・一八八一年、ロンドンにパーリ語聖典協会が設立される。

二十世紀

・一九五六年、B・R・アンベードカルの活動により「不可触民」が集団で仏教に改宗する。
・一九五九年、中国による一九五〇年に始まったチベット占拠が決定的となり、二十四歳の十四世ダライ・ラマ、テンジン・ギャツォがインドに亡命。これが西欧へのチベット仏教の躍進的伝播の出発点となる。
・一九八〇年代末、文化大革命中に破壊されたチベット仏教寺院のかなりな数が公に修復される（サムエー寺、ガンデン寺など）。
・中国では、普通の僧院生活と一般人の仏教実践が次第に復活する。
・一九九一年以後、モンゴルとブリヤート共和国では、共産主義時代に厳しく弾圧された仏教が復興の兆しを見せる。
・一九九八年、中国語大蔵経の電子版がインターネット上で閲覧可能となる。

主要参考文献

— *Religions et Histoire* 誌（Faton）の特集号（8号、2006年5・6月）として刊行された *Le bouddhisme ancien* は、初期仏教全般に関するよい入門書。

— *Le fait religieux*（Jean Delumeau 監修）（Fayard、1993年）には、Môhan Wijayaratna と J.-N. Robert 執筆の仏教に関する80頁ほど（449-529頁）のかなり総括的な記述がある。

— *Le monde du bouddhisme*（Heinz BechertとRichard Gombrich 監修）（Bordas、1984年）．歴史上及び近代における仏教の全体像を豊富な図版を用いて手際よく紹介。

— *Dictionnaire du bouddhisme*（Encyclopædia UniversalisとAlbin Michel、1999年）．百科事典 *Encyclopædia Universalis* に収録された仏教関連の項目を１冊にまとめたもので、簡便である。

— André Bareau, *Le bouddhisme indien*（*Les religions de l'Inde,* tome III）（Payot、1966年）．やや難しいが、全体の論述に一貫性があり、明晰なので一読に値する。

— *L'Inde classique - Manuel des études indiennes.* 第2巻〔Paris/Hanoï, 1952/53年〕の主要部分は Jean Filliozat による仏教に関するもので、仏教研究に真剣に取り組もうと思い、難解なテクストに直面することを恐れない者には必読。1996年に École Française d'Extrême-Orient から再刊されている。現在でもなお仏教に関するフランス語書籍としては基本的なもので、本書では避けるようにしたサンスクリット語、パーリ語、チベット語の必須用語を見つけることができる。〔邦訳：L. ルヌー、J. フィリオザ『インド学大事典』第3巻（仏教・ジャイナ教編）（山本智教訳）金花舎、1981年。フランス語原著は全2巻であるが、邦訳は全3巻に分けられ、そのうち仏教に関するものは第3巻に収録されている〕

— Henri de Lubac, *La rencontre du bouddhisme et de l'Occident*（〔初版：1952年〕再版：Cerf、2000年）．仏教とヨーロッパの歴史的、知的出会いに関して、キリスト教的観点から書かれた良書で、非常に豊かな情報を含んでいる。

— Lilian Silburn（監修）, *Aux sources du bouddhisme*（Fayard、1997年）．インドから日本に到る様々な仏教の偉大な伝統のなかから選ばれたテクストを収録しており、一読を推奨したい。

訳者解説

本書の著者ジャン゠ノエル・ロベール氏（一九四九年生）は、フランス国立東洋現代語学校で中国語、日本語を習得したあと、フランス国立高等研究院でベルナール・フランク教授（一九二七年〜一九九六年、一九七九年よりコレージュ・ド・フランス初代日本学講座教授）の指導のもとで天台宗、『法華経』などを主に研究し、パリ第七大学から国家文学博士号を取得した。

その後は恩師フランク氏と同じく、フランス国立高等研究院教授、続いてコレージュ・ド・フランス教授となり、二〇二三年六月二七日の最終講義をもって退官し名誉教授となった。最終講義では、自らの講座名を「日本文明の文献学（Philologie de la civilisation japonaise）」と名づけたのは、自分にとって文明（civilisation）を理解するうえで最も基本的となるものは文献学（philologie）であるからであるといった趣旨の、彼独自の見解を披露した。すなわち、文明と文献はフランス語の語源上何らの関係もないが、日本語では両者に「文」という文字が存在していることから、日本人の文明観にとって文献が重要な位置を占めていることを指摘したものである。その指摘通り、彼は一貫して中国語、日本語で書かれた広範な文献――なかんずく仏教関連のもの――を研究考証するという文献学的方法でもって日本文明を考察し、その業績は世界から高く評価され、二〇二一年度の第三回人間文化研究機構日本研究国際賞を受賞している。

ただし、彼の研究領域は日本、アジア、中東だけにとどまらず、広く世界に及んでいる。その出発点にあるのは彼の文字に対する興味と理解の深さである。彼自身の回想によれば、彼が世界の文字に興味を抱いた最初のきっかけは十二歳の時のことで、ある子供向けの大衆科学週刊誌の「世界の文字」という特集号に目を引かれたことだった。そこには見開きページいっぱいに漢字、チベット文字、ヘブライ文字、アラビア文字、……といった世界の主要な文字が一覧表として並べてあった。それを目にして彼は「こんな奇怪な文字は、一体どういう人が書いたり、読んだりしているのだろうと、驚嘆した覚えがある」と記している。

なかでも彼がことに興味を持ったのは中国語であった。それゆえに、十三歳の時クリスマスプレゼントとして両親に中国語のリンガフォンレコードを希望した。当時リンガフォンレコードは容易には入手できない珍しいものであったが、両親は息子の願いを快く聞き入れ、願いを叶えてくれた。彼は「とても大事なものを手に入れたようで、何とも言えない喜びがわいてきたことを、今でもはっきり記憶している」と回想しているが、これはまさに少年ジャン゠ノエルの将来を決定する出来事であった。

一九六七年十月、彼はフランス国立東洋語学校に入学し中国語、日本語を専攻したが、当時の日本語教授陣の一人森有正（一九一一年〜一九七六年）は、彼をまさに「不世出の語学の天才」と称していた。また当時共同通信のパリ支局長であった倉田保雄（一九二四年〜二〇一一年）は彼を助手として採用したが、ある時記者仲間の誰一人として「ローソク」を漢字で書けなかったなかで、ロベール氏がさりげなく「蠟燭」と書いて喝采を浴びたと記している。またある時、母国語であるフランス語は別として、中国語、日本語以外に何語ができるのかと尋ねてみると、朝鮮語、サンスクリット語、チベット語、ラテン語、ギリシャ語、ドイツ語、英語、イタリア語、スペイン語は一応困らない程度に使えるとのことであった。こうした彼の語学的才能を評して、友人たちは「彼の頭は外国語のスーパーマーケットだ！」と驚嘆していたとのことである。ちなみに、本書の「日本語版のための序文」は彼自身が日本語で執筆したもので、この文章からも彼の語学力の高さが窺える。

本仏教史は、一般向けに書かれたコンサイスなもので、研究書ではない。それゆえに、扱われている事柄によっては、その記述は簡潔すぎて物足りなく思える場合もあるであろう。しかしこの点は他の詳しい研究書、辞典などによって容易に補うことができ、本書の欠点とはならない。本書の特徴は、アジア全域に、そして現在では世界全域に伝播した極めて多様性に富んだ仏教の全体像を、言語を軸とする斬新な視座から包括的に叙述した点にある。その本領は「第十一章　仏教と言語」に遺憾なく発揮されている。仏教の伝播の各段階で、大蔵経という膨大な叢書がある一つの言語から別の言語へと翻訳されており、古代から中世にかけての世界文明史上、インド起源の仏典のアジア諸言語への翻訳事業は、他に類例を見ない巨大な文化事業であったということができる。

仏教を他の主要世界宗教と比較した時、その最大の特徴は多様性であろう。各地の仏教の形態、伝統には、共通点が見出せないばかりか、教義的にも相容れない場合もあり、これらすべてを「仏教」という名称で括ることは不可能とさえ思われる。しかし著者は、仏教の多様性は他の宗教に見られるものを遥かに超えており、「仏教はある地域、ある時代、ある宗派の枠の中でしか語ることも、学習することもできない」（本書一八頁）と述べ、

仏教を一律に語ることはほとんど不可能である。仏教徒全体の名において物事を語ろうとすることは、知的操作の試みとなってしまうとさえ断言できる。仏教について何かを語るときには、それがどの時代の、どの国の、さらにはどの宗派のことなのかを限定する必要がある。なぜなら、ある事柄は、別の状況では、そうではないと否定できるからである。

それゆえに、仏教は多様性を含んだ宗教であり、ある事柄に関して［仏教ではこうであると］決定的に断定することが非常に難しい。仏教は、多様な文化に対する並はずれた適応能力によって、特異な豊かさを呈している。（二七頁）

と鳥瞰的な立場を取っている。

この鳥瞰的な視点こそが、従来の日本仏教に、明治以降の仏教研究者に、そして現代の日本人仏教

徒に致命的に欠如しているものである。仏教民俗学者の五来重（一九〇八年～一九九三年）は「日本仏教は仏教の誤解から出発した」（『先祖供養と墓』角川選書　一九九二年）と指摘し、芥川賞作家にして臨済宗僧侶である玄侑宗久氏（一九五六年生）は「日本の仏教各派はもとより奇形なのである」（『私だけの仏教　あなただけの仏教入門』講談社＋α新書　二〇〇三年）と記しているが、まさにその通りで、六世紀の仏教伝来以来日本人は未だかつて仏教の全体像を正しく理解することなく、現在に至っているといえるであろう。その主な理由としては、中央アジアを経て中国に、さらに朝鮮半島を介して日本にまでたどり着いた仏教伝播の歴史的、言語的経緯が考えられる。

仏教は紀元前五世紀にインドに生きたゴータマ・シッダールタを開祖とし、その後早い時期にインドでいくつもの部派に分裂していったが、大別すればスリランカ、東南アジアに伝播したテーラワーダ系（地理的分布から南伝仏教とも呼ばれる）と、中央アジア、チベット、モンゴル、中国、韓国、日本に広まっている大乗系（北伝仏教）の二系列がある。

テーラワーダ系仏教は、仏教の初期段階の形態を残したもので、その大蔵経（経・律・論の三蔵）は紀元前後に編纂されたと考えられ、もっとも古い叢書である。年代的な古さもさることながら、それとならんで重要なのは、テーラワーダ系仏教ではすべての経典が大蔵経として一まとまりで伝承され、スリランカ、ミャンマー、タイをはじめすべての国に共有されていることである。文字はシンハラ文字、ビルマ文字、タイ文字と国ごとに変わるが、言語的には古典語であるパーリ語のままで、翻訳されずに現在まで伝承されている。もちろん経典に対する注釈書などは、現地の言葉で著され、僧侶による法話もその地方ごとの言葉でなされている。

大乗系仏教は、大きくチベット系と中国系の二つに分けることができる。チベット系は、八世紀後半にチベットが仏教を国教として取り入れ、国家の一大事業として、インド人僧とチベット人僧の共同作業により、当時インドで入手できた大乗仏教経典がすべて数十年の間に組織的にチベット語に翻訳された。以後新たな経典も翻訳され、徐々に整備・編纂されカンギュル（「仏説部」）・テンギュル（「論書部」）の二部からなる大蔵経が成立し、モンゴル語、満洲語にも翻訳された。

こうしてテーラワーダ系仏教とチベット系仏教は、その教義、修行体系は大きく異なっているが、各々が一つのまとまった大蔵経を共有しており、本来のサンガ（僧伽（そうぎゃ））である出家僧の集団が存続し、仏教本来の姿が見失われていない。

ところが中国系仏教では様相が全く異なる。仏教はインドから中央アジアを経由して中国に伝わったが、仏教経典全体が一まとまりとして翻訳されることはなかった。紀元後、インド、中央アジア出身の僧侶が自らが精通しているいくつかの経典を中国にもたらし、中国人の協力を得て、単発的に中国語に翻訳することになった。こうした翻訳活動が数世紀に及び、結果的には膨大な経典が訳出されたが、けっして整然と組織的に行われたわけではなかった。いってみれば、仏教はアラカルト的に単品ごとにしか紹介されることはなく、仏教全体がセットメニューとして提供されることはなかった。

すなわち中国人僧各人は、大蔵経全体からすればごく一部の経典だけに基づいて仏教を理解する、いわば「偏食」することになったわけである。こうして仏教の全体像が見えにくい状況の中で生まれてきたのが、浄土教、華厳宗、禅宗、天台宗などである。これらは、開祖各人が自らの基準で取捨選択したいくつかの経典、注釈書のみに依拠した独自の教義、修行体系、制度を持ったものであり、相互間に「仏教」としての共通性が極めて乏しい。

日本仏教は、この中国仏教の延長線上にあり、「偏食」——仏教用語では「専修（せんじゅ）」——傾向が一層高まったといえる。奈良時代の南都六宗も華厳宗、律宗、倶舎（くしゃ）宗といった名前からも窺えるように、もっぱら特定の経典、論書を専門に修めるものであったし、平安時代の天台宗、真言宗も然り、鎌倉時代に至ってはますますその傾向が顕著となり、浄土宗、浄土真宗、曹洞宗、臨済宗、日蓮宗などに特化していった。しかも経典そのものは漢訳仏典のままで、近代に至るまで日本語に訳されることすらなかった。中国語のままで音読される「お経」は、一般信者にはまったくチンプンカンプンで意味がわからず、ただありがたく聞くだけのものとなった。結果的に日本における仏教は、理解を伴った信仰というよりは、葬式、お墓参り、彼岸、お盆といった行事、法要としてのみ存在している側面が強い。

かつて日本の携帯電話は、国際標準仕様とは異なる進化を遂げたがゆえに、生物が南米大陸から西に離れた赤道直下のガラパゴス諸島において独自に進化したのになぞらえて、「ガラパゴス携帯電話」（略して「ガラ携」）と評された。これにならえば、アジア大陸の東の海に浮かぶ日本列島に孤立して、千五百年近くにわたって特異な進化をたどった日本仏教は「ガラパゴス仏教」すなわち「ガラ仏（ぶつ）」ということができるのではないだろうか。テーラワーダ系、チベット系仏教と比較した場合、その特異性は一目瞭然である。

だからといって、日本仏教が本来の仏教から逸脱した誤ったものであると一蹴（いっしゅう）することはできない。ロベール氏が本書（一六六頁）で述べているように、「多様な文化に対する並はずれた適応能力によって、特異な豊かさを呈している」のが仏教だからである。しかしながら、日本の仏教徒にとって、自らが歴史的宗教遺産として継承している仏教（というよりは宗派）の特異性を、仏教の世界的広まりの中で客観的に認識することは不可欠ではないにせよ、有益であろう。そのためにはロベール氏の本書は貴重である。

最後に、訳者は一九六九年から一九七二年にわたってフランス国立東洋現代語学校でチベット語を学習した。著者とはその時以来の旧知であり、今回縁があって本書を邦訳する機会を授かったことをこの上なく嬉しく思っている。

二〇二三年十月

今枝由郎

【追記】

＊現在までに刊行されている著者の日本語刊行物は以下の二点である。

・『心の「寺」を観る――フランス人学者が語る仏教の魅力』佼成出版社　一九九五年

・『二十一世紀の漢文：死語の将来』国際日本文化研究センター　二〇〇一年

＊本書一六二頁に記載したのは、原著記載の主要参考文献であり、当然のことながらすべてフランス語のもので、日本人読者には不向きである。本訳書では、それに代わって日本人読者向けの参考文献を紹介するのが本来であろうが、日本では仏教に関する出版物が極めて多く、その中から適切な参考文献を選択するのは非常に難しい。幸いに最近三つの叢書が連続して刊行されており、そこには仏教全般に関する一般書、研究書、研究論文が列挙されているので、それを参考文献とすることで、代えることにする。

・『シリーズ東アジア仏教』全五巻（高崎直道、木村清孝編）春秋社　一九九五～一九九七年

・『新アジア仏教史』全十五巻（奈良康明、沖本克己、末木文美士、石井公成、下田正弘編）佼成出版社　二〇一〇～二〇一一年

・『シリーズ大乗仏教』全十巻（高崎直道監修）春秋社　二〇一一～二〇一四年

加えて、仏教の欧米への広がりに関しては

・フレデリック・ルノワール『仏教と西洋の出会い』（今枝由郎・富樫瓔子訳）トランスビュー　二〇一〇年が興味深い。

また仏教関連の事項に関しては

・『岩波仏教辞典　第二版』（中村元、福永光司、田村芳朗、今野達、末木文美士編集）岩波書店　二〇〇二年が便利である。

［ナ］

［ハ］

［タ］

［サ］

［カ］

索引

・原著の索引にない人名・項目も加えて一層詳しいものにした。
・漢字にはできるだけルビを付した。
・原著の本文・年表中の欧米人名・地名のローマ字綴りおよびチベット人名・地名のチベット語綴り（ローマ字表記）は、すべて索引に移し、それ以外の人名・地名についても、適宜ローマ字綴りを補い、括弧内に入れた。
・仏教用語などのサンスクリット語、パーリ語の綴りもローマ字表記を括弧内に補い、区別が必要と思われる場合には、サンスクリット語はS.を、パーリ語はP.を冠した。
・人名の生没年は、おおむね原著に従った。一部、訳者の判断でより妥当と思われるものに訂正したもの、あるいは追加したものもある。

［ア］

ジャン＝ノエル・ロベール（Jean-Noël Robert）

一九四九年生まれ。フランス国立東洋言語文化学院日本語学科卒業、パリ第七大学国家文学博士号取得。コレージュ・ド・フランス名誉教授。義真『天台法華宗義集』の研究は日本天台宗の教理についての西洋語による最初の体系的解明として国際的にも高く評価される。また、鳩摩羅什訳『法華経』のフランス語訳、慈円の釈教歌についての研究のほか、日本文化を古今東西の文化史の文脈から捉えることを提唱し、二〇二一年度の第三回人間文化研究機構日本研究国際賞を受賞。

今枝由郎（いまえだ・よしろう）

一九四七年生まれ。大谷大学文学部卒業、パリ第七大学国家文学博士号取得。チベット歴史文献学専攻。フランス国立科学研究センター、ブータン国立図書館等に勤務。二〇二三年、第五十七回仏教伝道文化賞受賞。著書に『ブータン仏教から見た日本仏教』（ＮＨＫブックス）、『ブータンに魅せられて』『ブッダが説いた幸せな生き方』（岩波新書）などのほか、訳書に『スッタニパータ』『ダンマパダ』（光文社古典新訳文庫）、『サキャ格言集』（岩波文庫）、『ダライ・ラマ六世恋愛詩集』（共編訳、岩波文庫）、ダライ・ラマ14世『幸福と平和への助言』（トランスビュー）などがある。

仏教の歴史
いかにして世界宗教となったか

二〇二三年一一月　七日　第一刷発行
二〇二四年　三月一二日　第五刷発行

著者　ジャン＝ノエル・ロベール
訳者　今枝由郎

発行者　森田浩章
発行所　株式会社 講談社
東京都文京区音羽二丁目一二―二一　〒一一二―八〇〇一
電話（編集）〇三―五三九五―三五一二
（販売）〇三―五三九五―五八一七
（業務）〇三―五三九五―三六一五

KODANSHA

装幀者　奥定泰之
本文データ制作　講談社デジタル製作
本文印刷　信毎書籍印刷 株式会社
カバー・表紙印刷　半七写真印刷工業 株式会社
製本所　大口製本印刷 株式会社

ISBN978-4-06-533534-5　Printed in Japan　N.D.C.182　181p　19cm

講談社選書メチエの再出発に際して

講談社選書メチエの創刊は冷戦終結後まもない一九九四年のことである。長く続いた東西対立の終わりはついに世界に平和をもたらすかに思われたが、その期待はすぐに裏切られた。超大国による新たな戦争、吹き荒れる民族主義の嵐……世界は向かうべき道を見失った。そのような時代の中で、書物のもたらす知識が一人一人の指針となることを願って、本選書は刊行された。

それから二五年、世界はさらに大きく変わった。特に知識をめぐる環境は世界史的な変化をこうむったとすら言える。インターネットによる情報化革命は、知識の徹底的な民主化を推し進めた。誰もがどこでも自由に知識を入手でき、自由に知識を発信できる。それは、冷戦終結後に抱いた期待を裏切られた私たちのもとに差した一条の光明でもあった。

その光明は今も消え去ってはいない。しかし、私たちは同時に、知識の民主化が知識の失墜をも生み出すという逆説を生きている。堅く揺るぎない知識も消費されるだけの不確かな情報に埋もれることを余儀なくされ、不確かな情報が人々の憎悪をかき立てる時代が今、訪れている。

この不確かな時代、不確かさが憎悪を生み出す時代にあって必要なのは、一人一人が堅く揺るぎない知識を得、生きていくための道標を得ることである。

フランス語の「メチエ」という言葉は、人が生きていくために必要とする職、経験によって身につけられる技術を意味する。選書メチエは、読者が磨き上げられた経験のもとに紡ぎ出される思索に触れ、生きるための技術と知識を手に入れる機会を提供することを目指している。万人にそのような機会が提供されたとき初めて、知識は真に民主化され、憎悪を乗り越える平和への道が拓けると私たちは固く信ずる。

この宣言をもって、講談社選書メチエ再出発の辞とするものである。

二〇一九年二月　　野間省伸

ヘーゲル『精神現象学』入門　長谷川　宏
カント『純粋理性批判』入門　黒崎政男
知の教科書　ウォーラーステイン　川北　稔編
カイエ・ソバージュ［完全版］　中沢新一
人類最古の哲学　カイエ・ソバージュⅠ［新装版］　中沢新一
知の教科書　スピノザ　C・ジャレット　石垣憲一訳
知の教科書　ライプニッツ　梅原宏司・川口典成訳　F・パーキンズ
知の教科書　プラトン　三嶋輝夫ほか訳　M・エルラー
フッサール　起源への哲学　斎藤慶典
完全解読　ヘーゲル『精神現象学』　竹田青嗣　西　研
完全解読　カント『純粋理性批判』　竹田青嗣
分析哲学入門　八木沢　敬
ドイツ観念論　村岡晋一
ベルクソン＝時間と空間の哲学　中村　昇
精読　アレント『全体主義の起源』　牧野雅彦
九鬼周造　藤田正勝
夢の現象学・入門　渡辺恒夫

ヨハネス・コメニウス　相馬伸一
アダム・スミス　高　哲男
ラカンの哲学　荒谷大輔
解読　ウェーバー『プロテスタンティズムの倫理と資本主義の精神』　橋本　努
新しい哲学の教科書　岩内章太郎
アガンベン《ホモ・サケル》の思想　上村忠男
使える哲学　荒谷大輔
極限の思想　バタイユ　佐々木雄大
極限の思想　ニーチェ　城戸　淳
極限の思想　ドゥルーズ　山内志朗
極限の思想　ハイデガー　高井ゆと里
極限の思想　サルトル　熊野純彦
極限の思想　ラカン　立木康介
〈実存哲学〉の系譜　鈴木祐丞
今日のミトロジー　中沢新一
パルメニデス　山川偉也
精読　アレント『人間の条件』　牧野雅彦

逆襲する宗教

小川　忠

MÉTIER

日本語に主語はいらない　金谷武洋
テクノリテラシーとは何か　齊藤了文
どのような教育が「よい」教育か　苫野一徳
感情の政治学　吉田　徹
マーケット・デザイン　川越敏司
「社会(コンヴィヴィアリテ)」のない国、日本　菊谷和宏
権力の空間／空間の権力　山本理顕
地図入門　今尾恵介
国際紛争を読み解く五つの視座　篠田英朗
易、風水、暦、養生、処世　水野杏紀
丸山眞男の敗北　伊東祐吏
新・中華街　山下清海
ノーベル経済学賞　根井雅弘編著
日本論　石川九楊
丸山眞男の憂鬱　橋爪大三郎
危機の政治学　牧野雅彦
主権の二千年史　正村俊之

機械カニバリズム　久保明教
暗号通貨の経済学　小島寛之
電鉄は聖地をめざす　鈴木勇一郎
日本語の焦点　日本語「標準形(スタンダード)」の歴史　野村剛史
ワイン法　蛯原健介
MMT　井上智洋
快楽としての動物保護　信岡朝子
手の倫理　伊藤亜紗
現代民主主義　思想と歴史　権左武志
やさしくない国ニッポンの政治経済学　田中世紀
物価とは何か　渡辺　努
SNS天皇論　茂木謙之介
英語の階級　新井潤美
目に見えない戦争　イヴォンヌ・ホフシュテッター　渡辺　玲訳
英語教育論争史　江利川春雄
人口の経済学　野原慎司